D1516595

# EL DIFUNTO FIDEL C.

# Teresa Dovalpage

## *EL DIFUNTO FIDEL C.*

PREMIO RINCÓN DE LA VICTORIA

*Un jurado compuesto por*

Asunción Rallo Gruss, Juan Campos Reina, Bautista Martínez
Iniesta, Eduardo Rafael Jordá Forteza y Julio Francisco Neira
Jiménez, otorgó a este libro el V Premio de Novela Corta
«Rincón de la Victoria» año 2009

*Diseño de cubierta:* Equipo Renacimiento

© Ilustración de cubierta: Eva Vázquez Merino

© 2011. Editorial Renacimiento        © Ayuntamiento Rincón de la Victoria

Depósito Legal: S. 667-2011                    ISBN: 978-84-8472-475-9
Impreso en España                                      Printed in Spain

*A mi amiga Rosario Vargas y al grupo de Teatro Aguijón.*

L AS botánicas miamenses venden fe y esperanza. Y hasta caridad, si es lo que el cliente
necesita y tiene con qué pagarla. El aire de estas
tiendas huele a incienso, a agua de Florida, a ro-
sas y a veces a tabaco. Cuando ponen música,
casi siempre es un toque de tambor o un bolero
meloso.

*Las olas de Yemayá* es una de las botánicas más
reputadas de toda la ciudad. Queda en pleno corazón de la Calle Ocho y su dueña responde al
sonoro y rimbombante nombre de Encarnación
Raynier de los Rosales. La susodicha es médium

escribiente, oyente y vidente, según reza su tarjeta de visita, muy profesionalmente impresa en cartulina mate.

Encarnación ha decorado el establecimiento a fin de lograr un efecto de Disneylandia espiritual. Un cuadro de La Mano Poderosa cuelga de la pared junto a un grabado del Ojo de Dios. En los anaqueles negrean azabaches y platean crucifijos *made in China* junto a estatuas de yeso que representan bien o mal a las vírgenes de la Caridad, de Regla, de Fátima, de Guadalupe y hasta de Medjugorje. Hay perfumes astrales, herraduras de cobre, piedras de cuarzo, espejos de Feng Shui, budas plásticos y calderos de Santería. En un librero coexisten Biblias, volúmenes de astrología, novenas y estampas de cuanto santo aparece en el Santoral, además de algunos apócrifos como un tal San Carajulián. También se ofertan gitanas y negritas a muy buen precio —muñequitas de plástico, mal pensados.

Y todo lo preside la imagen de un querubín de dos metros de alto, con cachetes rosados y alas grises. Si Fra Angélico lo ve, excomulga al pintor. Pero Encarnación lo tiene por una obra de arte y no lo vende ni aunque le ofrezcan cien mil dólares. (Es un decir, nadie le ha ofrecido ni cien mil quilos todavía). A la izquierda del querubín hay un reloj lumínico con una ilustración de *Harry Potter y la piedra filosofal* en medio de la esfera.

Pero nada de toques de tambor aquí, eh. La dueña se desvive por la música mexicana. Hoy se ha levantado con ganas de oír a Vicente Fernández, que entona a todo pecho *El rey*:

> *Yo sé bien que estoy afuera*
> *pero el día que yo me muera*
> *sé que tendrás que llorar.*

Una joven rechoncha, con gafas oscuras al estilo de Madonna, empuja la puerta y se detiene en el umbral. La acompaña una mujer mayor, ya un poco apolismada por los años, que con una simple frase:

—Alabao, qué calor... –revela sin ambages su cubanidad.

Las dos se quedan mirando al Ojo de Dios como si éste guardara en su pupila azul (¡perdóname, Gustavo Adolfo!) la solución a todos los problemas del mundo. Encarnación las saluda con la mejor de sus sonrisas.

—Luz y progreso, hermanas, adelante. ¿Qué las trae por aquí?

Las interpeladas se deciden a entrar. Ya frente a la médium, la observan con detenimiento. La verdad es que hay bastante que observar en ella, desde el cabello largo hasta la cintura y teñido de rojo, pasando por el seno ubérrimo y a medias descubierto, hasta los pies calzados con babuchas doradas. Parece un árbol de Navidad fuera de temporada. Encarnación cumplió sesenta años el mes pasado pero su vocación de diva carnavalesca puede más que los dictados de la moda y del almanaque.

—Aché para ustedes –continúa, a fin de infundir confianza a las clientas en perspectiva.

—Mire, yo... –tartamudea la vieja–. Esto... nosotras...

—¿Buscan algo en particular? Tenemos: hierba de mejorana para abrirte el mañana; pétalos de campana que todo sana.

Y rompezaragüey con semillitas de mamey...

—Déjese de rimas idiotas, haga el favor –la interrumpe la chica camuflada de actriz hollywoodense–. Mi padre ha muerto, ¿sabe?

—Mis condolencias, queridísima –le dice Encarnación, poniendo cara de circunstancias–. ¿Y qué edad tenía el difunteado?

—Andaba por los cincuenta. Pero, ¿qué tiene eso que ver? ¿Por qué me lo pregunta?

Encarnación hace acopio de paciencia.

—Ay, hija, por curiosidad, no te molestes. ¿Y qué quieres, darle una misa espiritual?

—Nada de misas. Lo que me hace falta es saber cómo se siente en el más allá. Si…

—Si nosotras tuvimos culpa de que se difunteara –interviene la otra, que de repente empieza a soltar mocos y lágrimas a chorro.

Justo en ese momento el coro de Vicente Fernández repite aquello de *llorar y llorar*. Encarnación se apresura a apagar la música.

—Déjeme que le cuente, señora –prosigue la mujer–, déjeme que le diga…

—Cállate, mami –la corta la más joven–. No te pongas a dar información sin venir al caso.

Encarnación, indignada (o haciéndose la indignada) se encara con ella:

—Yo no necesito que nadie me dé información porque tengo unos espíritus súper claros, que saben hasta donde el jején puso el huevo. Así que no ofendas por gusto que tú no me conoces.

La chica asimila el regaño y se ablanda enseguida, como todas las boconas cuando les hablan fuerte.

—Disculpe, disculpe. Es que estoy muy nerviosa. Yo nunca me he metido en estas cosas.

—Lo que queremos averiguar –dice la vieja–, es cómo ocurrió en realidad la muerte de mi marido.

Aquello le pinta feo a Encarnación y decide quitárselas de encima.

—Un momento. Si se trata de un crimen mejor acudan a la policía. Aunque yo soy legal, y mis espíritus también, mi licencia dice que esto es *for entertainment only*. Por pura diversión y sin compromisos. Y con la justicia no quiero problemas, qué va. Hasta luego y váyanse por la sombrita.

—¡No diga eso, señora! ¡Usted tiene que ayudarnos! –exclama la vieja–. No nos deje embarcadas, por el amor de Dios.

—Aquí no se trata de ningún crimen –explica la otra, más calmada–. El forense determinó que había sido un accidente, así que por el lado de las autoridades no tiene nada que temer. Pero mi padre estaba un poco deprimido últimamente. Y mami piensa que se lanzó a propósito contra un camión de vegetales para salvar a la familia de la ruina.

—Eso me tiene destrozada –murmura la vieja.

Encarnación se compadece. Ella es así, sentimental.

—Bueno, tal vez les pueda echar una mano. En casos como el suyo yo uso mis dotes de médium escribiente.

—¿Qué quiere decir eso?

—Que los espíritus me dictan sus vivencias desde el más allá y yo transcribo…

—¿Cómo que sus vivencias, si están muertos? –pregunta desconfiada la más joven.

—Es un decir, muchacha, no seas tan… literal. Quiero decir, que me cuentan sobre sus

16

experiencias antes de morir. Yo copio todo ce por be, lo paso a mi computadora y se lo doy ya impreso a los clientes.

—¿Y cuánto cobra usted por su trabajo?

—El precio lo discutimos más tarde, mi amor.

—¡Lo que sea, hija, lo que sea! –solloza la vieja–. Con tal de no seguir con este reconcomio por dentro, yo le pago lo que me pida.

—¿Cómo se llamaba el difunteado? –pregunta Encarnación.

—Fidel –contesta la chica.

—Philip –la corrige su madre.

Encarnación resopla.

—Bueno, se me ponen de acuerdo porque así no nos vamos a entender.

—Fidel, Fidel.

—¿Y el apellido?

—Carballo –responden ambas a la vez.

—¿Y cuándo se desencarnó?

—La semana pasada.

—Está bien, todavía tendrá los recuerdos frescos. Porque mientras más tiempo pasan allá, más difícil es obtener detalles. Para decesos tan recientes la tarifa es sólo veinte dólares el folio. En una sesión regular, un espíritu me dicta de diez a doce folios, de modo que el precio total depende de cuán larga sea la historia que el difunteado tenga que contar.

—Perfecto –responde la más joven, que es la que lleva la batuta. La otra, ovejunamente, asiente con la cabeza también.

\* \* \*

Esa misma tarde, ya cerca de la hora del cierre, Encarnación les está quitando el polvo a unos Budas de porcelana cuando hace su entrada en la botánica, meneando mucho las caderas, una trigueña fondillona.

—Luz y progreso, hermana, adelante –la saluda la dueña–. ¿Qué te trae por aquí?

—Hablar con un egún.

Un egún, para los no enterados, es un difunto. O difunteado, como les dice Encarnación.

—Ah, no, mi vida. Yo no paso muertos.

—¿Y qué servicio ofrece usted?

—Soy médium escribiente, oyente y vidente, para lo que gustes mandar.

—Ah, qué casualidad, mi vieja era también médium oyente. Cuando los espíritus se ponían pal paso le daban unas cantaletas… Había uno que se pirraba por cantar óperas. En italiano, imagínese. Mi pobre madre terminó por aprenderse *La Traviata* completa de memoria.

—Sí, hay algunos majaderísimos –asiente Encarnación–. Pero yo nada más les dejo espacio a los que me interesan. Aunque me esté mal el decirlo, soy muy selectiva en esas materias. ¿Y a quién querías contactar tú?

—A un amigo... Para decirle la verdad, a un querido que tuve. Casado, pero muy decente y más bueno que el pan. Se mató hace una semana en un choque y yo tengo clavada la espina de no saber qué le pasó. Porque él estaba medio tristón desde hace tiempo, preocupado por su familia... y me da la corazonada de que lo suyo no fue accidente, sino suicidio. También me gustaría saber si... si iba a dejar a su mujer por mí o no. Usted dirá que eso no importa a estas alturas, pero...

—Todo importa, mi alma. Para mí no hay problema demasiado insignificante. Espérate, déjame concentrarme... ¿El difunteado se llama Philip y le decían Fidel, o viceversa?

—¡Señora, lo suyo es una visión de veinteveinte! –La trigueñota se santigua.

—Dones que tiene una. ¿Y el apellido era Carballo, por casualidad?

La recién llegada se queda muda del asombro y tarda dos minutos (medidos por el reloj de *Ha-*

*rry Potter y la piedra filosofal*) en reponerse para contestar.

—Carballo era, sí. Óigame, ya yo había oído hablar de usted y de su clarividencia, pero no sabía que tenía tanta luz.

—Luz me sobra para guardar y para repartir. Trataré de ayudarte, que ésa es la razón por la que me mantienen en estado de gracia mis espíritus.

—¿Y el precio es…?

—Baratísimo, muchacha. A veinte dólares el folio –aquí Encarnación suelta de nuevo el rollo del dictado, que no hay para qué repetir.

—Adelante con los faroles. –Sonríe la trigueñota.

—Esta misma noche lo llamo. Todo está en que el espíritu quiera cooperar, porque hay cada viejo resabioso en el más allá…

# PRIMERA SESIÓN

Por supuesto que acepto hablar con usted, señora. Encantado de la vida. Es decir, encantado de
la muerte. A mí se me quedaron un burujón de
cosas por decir. Los últimos quince años los pasé
trabajando como un mulo para hacer a mi familia feliz, pero me temo que fracasé en el intento.
Aunque, pensándolo bien, ¿qué es una familia
feliz? ¿Usted lo sabe?

Fue Tolstói quien escribió en *Ana Karenina*
que todas las familias felices eran iguales, pero
que las infelices lo eran cada una a su manera. O
algo por el estilo. Haga el favor de consultar la

novela para asegurarse de que no he dicho una barbaridad. Barbaridad que no me sorprendería puesto que no soy (es decir, no *era*) escritor, sino agente de bienes raíces. Pero procuraré no quedar muy mal.

Lo primero que haré es presentarle a la familia, de la que ya usted conoció a dos de sus miembros. Y como la nuestra era un patriarcado, según mi hija Kathy (la gorda de las gafas, sí), pues empiezo conmigo. Soy Philip Carballo, el dueño de *Carballo Properties*. Seguro que ha visto mi anuncio en El Nuevo Herald: «*Carballo Properties*, donde la casa de sus sueños es el sueño de nuestros corredores». Original, ¿no cree? Se me ocurrió a mí.

Dalila, mi mujer (esto es, mi viuda, pero la seguiré llamando como antes porque aún no me acostumbro a los terminachos del más acá) da la impresión de ser una esposa a la antigua, sumisa y calladita. Pero no se confíe. A veces le entran ataques súbitos de malhumor y entonces huye, que te coge el moro. Tiene obsesión con las telenovelas y con su gato Fluff –ella le dice Flo porque nunca aprendió a pronunciar el inglés, la pobre–. No diré que haya sido una mala mujer o una madre desmadre, pero tiene sus conchas.

A mi hija mayor, que nació en Cuba hace veintiséis años, le pusimos Katia porque todo lo ruso estaba de arriba entonces. Pero cuando llegamos a Miami se transformó en Kathy. Me odia, o al menos daba la impresión de odiarme, simplemente porque me tocó en suerte ser su padre. (Dios mío, qué daño nos hizo Freud). Tiene una bebé de dos años concebida por producción independiente. Vaya, con aire y una jeringuilla, ya sabe usted cómo son esos inventos modernos. Yo, desde luego, prefiero el método tradicional.

A mi hijo menor, el único nacido en Estados Unidos, se me ocurrió llamarlo William para que saliera un tenorio como Clinton. Pero me cogí el dedo con la puerta, y digo el dedo por no decir algo peor. Bill habla y entiende español aunque a cada rato suelta una palabreja en inglés, sobre todo cuando se pone nervioso. Y esto sucede con una frecuencia alarmante.

En cuanto a los hechos, vamos en orden cronológico para no empezar la casa por el tejado. Hace quince días todavía un servidor estaba vivito y coleando. Pero hecho tierra, la verdad. Debía tres meses de hipoteca y había llegado al límite de mi Master Card. No me había caído ni un solo cliente en toda la semana. Para la siguiente, lo único que apuntaba en el horizonte era una cita con un costarricense que buscaba algo viejo, chiquito y barato en Hialeah. La situación estaba negra con pespuntes grises, por cualquier lado que se le mirase.

Aquella tarde entré a mi casa con la correspondencia en la mano. Mi mujer trajinaba en la cocina y sólo Flo, echado como un príncipe ruso en la mejor butaca de la sala, me recibió con un bufido. Flo no tiene pulgas, que yo sepa, pero si las tuviera serían malísimas.

Examiné los sobres, abrí uno y solté tres carajos. Era un cheque sin fondos que me devolvía el banco —que *rebotaba*, como dice la gente—. Guardé el papel en un bolsillo del pantalón, pero abultaba demasiado. Entonces lo escondí debajo del sofá. Cuando me incorporaba entró mi mujer, que sin tomarse la molestia de darme las buenas tardes me espetó:

—¿Qué se te perdió por el piso?

Disimulé porque no tenía ganas de meterme en explicaciones de negocios. Estaba deprimido hasta el tuétano por el dineral que debíamos al banco y a las tarjetas de crédito, y si me ponía a hablar de eso me iba a sentir más aplastado todavía. Dalila no podía ayudarme así que lo mejor que podía hacer por ella era ahorrarle las malas nuevas.

—Nada –le contesté.

—¿Cómo que nada si te sorprendí ahí agachado?

—Ah, estaba recogiendo una bola de pelos. Esta casa parece una barbería por culpa de ese bicho asqueroso.

—No empieces a meterte con Flo desde que llegas. –Fue hasta la butaca y le dio a Flo el beso que se le olvidara darme a mí, diciéndole–: No haga caso, mi amor. Usted es aquí el *number one*.

—El día que me encabrone voy a agarrar al gato por la cola y a botarlo pal medio de la calle –le advertí.

—Y detrás de él vas tú. ¿Cómo te cae?

Después nos dijimos otras impertinencias. Pero gracias a la discusión y al gato, mi mujer se despreocupó de lo que había quedado debajo del sofá.

Fui para el cuarto a cambiarme de ropa (siempre iba a la oficina con traje y corbata, aunque hubiera cuarenta grados de calor) y un rato más tarde llegaron los muchachos. Kathy tiene su propio apartamento, pero no sabe cocinar y come cuatro veces por semana en mi casa. Luego se lleva en un cacharro la ración de su hija y hasta algo para el día siguiente. Así cualquiera es liberada.

En aquellos momentos yo no podía oír lo que conversaban. Pero como esto es un *flashback* desde el más acá, paso a relatarle el contenido de la charla.

—Bill, pierde el miedo –le decía Kathy al hermano–. Aprende a defender el derecho a ser quien eres, a preservar tu propia identidad.

(O algo similar; es su estilo de publicista barata).

—Eso se dice fácil –le contestó Bill con cara de pescado en tarima.

—Y se hace. Mírame a mí. ¿No tuve yo a mi hija sin ayuda de nadie y la estoy criando sola?

Chico, lo tuyo es agua de borrajas al lado de mis problemas.

—Pero tú eres distinta. Tú naciste en Cuba.

—¿Y desde cuando ser cubano es una ventaja?

La respuesta de Bill fue ponerse a cantar, imitando a Albita Rodríguez:

—*¿Qué culpa tengo yo de haber nacido en Cuba?* *¿Qué culpa tengo yo de que mi sangre suba?*

—¿A qué viene eso ahora?

—A que ustedes, los cubanos, tienen la sangre caliente. Son valentones, decididos. Timbalúos, como dice el viejo.

—Pues considérate cubano honorario. Al fin es que tenemos los mismos genes.

—Mejor dejamos a los genes tranquilos que ya los míos me han causado bastantes líos.

Fue entonces que Dalila y yo entramos con tazas de café en las manos –café marca La Llave, oloroso y recién colado. (Carijo, cómo lo extraño aquí. Más que al ron y más que a las mismas mujeres).

—¿Quieren café, muchachos? –les ofreció Dalila.

—Yo prefiero un tecito –le contestó Bill haciendo una mueca. Una mueca de las que me daban ganas de meterlo en el ejército con tres patadas por el culo, aunque lo zumbaran directo a Afganistán.

—¿Te duele la barriga? –le pregunté.

Él, que sabía por donde yo iba, se hizo el bobo. Pero Kathy saltó a defenderlo.

—A la gente no tiene que dolerle la barriga para tomar té.

—Ya se metió la defensora del pueblo –gruñí.

—No se trata de defender a nadie. Sencillamente, a mi hermano no le gusta la cafeína.

—¿Y él no tiene lengua para decirlo?

—Dejen de gastar saliva por gusto que té no hay –Dalila cortó el hilo de la discusión antes de que siguiera enredándose–. Bill, o tomas café o no tomas nada.

—No tomo nada entonces.

Y se escurrió para su cuarto. Dalila le trajo café a Kathy, agarró al gato y se lo puso en el regazo, desentendiéndose de la conversación. Mi hija, por variar, empezó a buscarme las cosquillas:

—¿Cómo va el negocio, viejo?

Ella sabía lo que me molestaba que me llamaran viejo –que además no lo era, a los cuarenta y nueve años–. Le contesté lo más seco que pude:

—Bien.

—Bien con jota, querrás decir –me metió aún más el aguijón–. Acabo de oír por radio que no se vende ni un apartamento en todo el estado de la Florida. La cosa está candente.

No le hice caso a ver si se callaba, pero siguió como si le hubieran dado cuerda.

—¿Tú sabes que Mayda, una compañera de trabajo, casi pierde su condominio? Después de pagar la hipoteca religiosamente durante cinco años, le subieron la letra mensual a más del doble... Figúrate, de mil doscientos a casi tres mil dólares. ¿Y con qué se sienta la cucaracha?

—La culpa la tienen ustedes –le dije al fin, por contestar algo–. ¿Por qué se han metido a trabajadoras sociales por un sueldecito de mierda? Aquí lo que da dinero es la libre empresa.

—Pero nosotras contamos con un cheque seguro todas las quincenas.

—Buena basura. Yo no vine de Cuba a trabajar para nadie. Llegué a Miami con una mano delante y la otra atrás...

—Menos mal que no te tuviste que quitar ninguna de su sitio –me interrumpió la muy bocona.

—Y he llegado a ganar hasta cuarenta mil dólares en un mes con las comisiones –concluí–. Una cantidad que no consiguen ustedes en un año completo. ¿Es así o no es así?

—Eso sería en la época de las vacas gordas, porque lo que es ahora…

¿No era para entrarle a gaznatones? Suerte que Dalila intervino de nuevo, apaciguando el avispero:

—¿Y qué pasó con esa amiga tuya, niña?

—Que la salvó la campana. El marido tuvo la suerte de morirse… –se interrumpió, dándose cuenta de que había metido la pata–. Ay, qué feo sonó eso. Quiero decir, el marido tuvo la *desgracia* de matarse en un accidente. Se estrelló contra un Hummer en la Avenida Collins.

Mi mujer puso cara de consternación, aunque ella no conocía a esa gente ni le importaba un pito lo que les pasara.

—Qué horror. Nada menos que contra un Hummer. Pobre hombre. Se desbarataría.

—Sí, se hizo polvo cósmico. Pero ellos tenían una póliza que les garantizaba, en caso de la muerte de uno de los cónyuges, la liquidación de la hipoteca a favor del sobreviviente. La compañía de seguros le pagó hasta el último centavo y ya Mayda es dueña de su casa. Eso es nacer de pie.

Dalila se volvió hacia mí con un interés que no suele mostrar por nada, excepto la televisión y Flo.

—Philip, ¿nosotros tenemos un seguro de ese tipo?

¡Tremenda pájara de mal agüero que me salió la vieja! Aunque yo ni me imaginaba que la de la guadaña estuviera pisándome los talones, me incomodé.

—Parece que tienes ganas de quedarte viuda –le dije–. Pero no te hagas ilusiones, porque el día que yo falte no sé quién va a costearte la buena vida, desde la letra del carro hasta las vacunas del gato. Si esperas por tus hijos, te come el león.

—Ay, no lo tomes por donde quema. Qué susceptible te has vuelto. Bueno… ¿tenemos el seguro o no?

—Sí, Dalila. Sí lo tenemos.

—Gracias a Dios. Porque nadie va a quedarse para semilla, como decía mi madre, que en paz descanse. Hay que estar preparados para cualquier eventualidad. Somos hijos de la muerte y...

—¡Ah, carajo! –exploté–. Llega uno de la calle y no oye hablar más que de muerte, problemas y jodiendas... ¡Cállense de una vez o cambien la tonada!

—Tienes un humor de perros últimamente.

¿De qué lo iba a tener, de gatos? En eso sonó el timbre de mi móvil y salí al portal para hablar con tranquilidad. Por la ventana vi a Bill regresar de su cuarto con pasitos de bailarín y sentarse en el sofá con la madre y la hermana. Tremendo trío.

La llamada era del costarricense, que canceló la cita y no quiso hacer otra. Vamos, que la fatalidad me perseguía. Regresé a la sala en el momento que Dalila decía:

—Ya la cena está lista. Usé arroz silvestre para los moros, Kathy, así te los puedes comer. ¿La dieta de South Beach no tiene problemas con el arroz silvestre, verdad?

—La dieta no permite ningún tipo de arroz hasta la tercera etapa y yo todavía estoy en la primera. Pero no te preocupes, que lo voy a comer de todas formas. Un día es un día y ya estoy que ahorita cago floretes de brócoli.

Cada cual fue en busca de su ración. Aquélla era la regla número uno impuesta por mi costilla desde los tiempos cubanáceos: ella cocina, pero no le sirve un plato ni a su madre que resucite. Todo es a estilo de cafetería rápida. Y luego se las da de ama de casa desesperada. En fin.

Nos sentamos a la mesa. Yo, presidiéndola, porque todo lo que se comía allí salía de mi bolsillo. El gusto de sentarme a la cabecera nunca me lo dejé de dar, aunque a Kathy le reventara y a cada rato me soltara una pullita por lo que ella llamaba «mi machismo». Yo creo que el feminismo americano, que agarró con raíces y todo, la indigestó de por vida.

Empezábamos con los plátanos maduros fritos cuando sonó el móvil de Bill. Éste se levantó corriendo y se escabulló hacia un rincón.

—Adviértele a tu hijo que apague el salao aparatico cuando estemos cenando, haz el favor –le dije a Dalila.

—Con el ejemplo que tú le das –se metió Kathy–, ¿con qué cara va a ella a prohibirle que lo use?

—Pero yo lo necesito para trabajar, chica. Ahora, ¿qué falta le hace el móvil a un mocoso que todavía no está ni en la universidad? Cualquier día no lo pago más y se acaba el relajo, que no está la situación para andar botando el dinero.

La oí murmurar algo de mi tacañería, pero me hice el sordo. Del rincón llegaban una que otra frase suelta de Bill: «amor, *honey*, nos vemos mañana». Jum.

—¿Quién era? —averiguó Dalila cuando el chico regresó a la mesa, coloradísimo por cierto.

—Mami, no seas tan curiosa —saltó Kathy al instante.

—Nadie hablaba contigo. Bill, te hice una pregunta. Y te oí diciendo algo de *honey*, eh.

—Con… con una chiquita. Una compañera del *high school*.

—¿Tú tienes novia, mijo? —le pregunté, conjeturando que todavía había salvación para aquel espermatozoide mío convertido en un cacho de humanidad.

—¿Cómo es ella? ¿Alguna vez ha estado aquí?

—Caballeros, dejen al muchacho tranquilo —volvió a intervenir Kathy—. Parecen ladillas. Respeten su privacidad.

Espera a que pasen unos añitos, me dije. Yo iba a ser el primero en recordarle a Kathy «el respeto a la privacidad» cuando su hija creciera y anduviese como las chivas locas por ahí. Seguimos masticando en silencio. Todos pensábamos, podría apostarlo, en la novia de Bill.

Diez minutos más tarde recibí otra llamada. ¡Aleluya! Al fin me pareció que iba a hacer la cruz, después de tres meses en los que no había vendido ni la caseta de un perro. Tony, un corredor que trabajaba para mí, acababa de encontrar unos clientes prometedores. Se trataba de una pareja de Kansas que buscaba un condominio barato. Y precisamente había uno en Fontainebleau Boulevard que se estaba cayendo de maduro. Aquella misma mañana había hablado con el dueño. «Si tienes que rebajarle diez mil dólares para salir de él, rebájalos», me había dicho.

Decidí llevarlos a que lo vieran enseguida. Fui al cuarto, me puse el traje y la corbata y salí dispuesto a comerme el mundo. Aquella noche hacía una venta o me cambiaba el nombre… otra vez.

—¿Tienes que salir ahora mismo? –preguntó Dalila.

—Sí, son puntos seguros. Tú verás que éstos pican. Miami es un paraíso para cualquiera que venga de Kansas.

—A no ser que resulte ser el mago de Oz –se hizo el gracioso Bill.

—Por lo menos prueba el bistec –insistió ella.

—Mujer, que me están esperando en el estacionamiento de la oficina y no hay nadie allí para recibirlos ni ofrecerles una taza de café. A pique de que se aburran y se vayan.

—¿Hasta que hora trabaja la… balserita esa que tienes de secretaria? –volvió a preguntar mi costilla, recelosa. Yo me encogí de hombros:

—¿Yordanka? Ah, ella termina a las cinco. Bueno, coman ustedes y no se ocupen de mí, ya me compraré una hamburguesa por la calle. Pero guárdenme postre, que vi un flan de calabaza en la cocina. Chao.

Y salí de estampía. Mi mujer se quedó con cara de no tragarse el cuento. Suspicacias que no venían al caso, pues Yordanka y yo jamás nos veíamos en horario extra laboral, lo nuestro era un romance de oficina. Pero todavía no hemos llegado a esa parte.

Les enseñé el condominio a los de Kansas, que se hicieron los repugnados y no me dijeron ni fu ni fa. Mientras tanto, en mi casa se desarrollaba el siguiente diálogo:

KATHY.—Esto me huele a ratón.

BILL.—*I smell a rat too.* Una rata grandísima.

DALILA.— *(Vacilante.)* Bueno, a lo mejor… la gente que trabaja de ocho a cinco tiene que hacer sus diligencias más tarde.

KATHY.—Mami, qué crédula eres. Si de verdad son de Kansas, entonces están aquí de vacaciones. Podían haber llamado antes. ¿El viejo no se verá demasiado entradito en años para meterse a pipidulce?

DALILA.—Ay, hija, que tu padre tampoco está tan viejo. Y muchas veces la culpa es de las mujeres. Sobre todo de las muchachas jóvenes, que a culiprontas no hay quien les gane.

BILL.—¿Qué es eso de culiprontas?

DALILA.—Que le dan la flor a cualquiera, hijo.

BILL.—¿La flor?

KATHY.—La florimbamba, nene. Lo que se guarda entre las piernas. Pero a mí me preocupa la Yordanka esa. Tiene cara de pirujita. Y papi…

DALILA.—¡Katia, no revuelvas la mierda que sale mal olor!

BILL.—Vieja, cuando tú te encabronas, ¿se te olvidan los nombres americanos?

DALILA.—¿Qué dices, muchacho?

BILL.—Que cada vez que te molestas con mi hermana la llamas por su nombre real. Y cuando discutes con el viejo, ¿también le dices Fi…?

DALILA.—¡Niño, no mientes la soga en casa del ahorcado! Todos están insoportables hoy. Terminen de comer y recojan sus platos, ¿oyen? Ni yo que los parí puedo aguantarlos.

*Se levantó, tomó en brazos al gato y encendió la televisión.*

Justo en esos momentos yo andaba recorriendo la ciudad, buscando otra propiedad que mostrarles a los de Kansas –que resultaron ser un par de viejos cascarrabias, por cierto–. Ah, y no se olvide usted de que apenas había probado la cena. Estaba aún con las tripas sonándome del hambre, en tanto que mi respetable familia, ya con la panza llena, me arrancaba las tiras del pellejo. ¡Le zumba el merequetén! Bien pensado, hasta me alegro de estar muerto, vaya.

Discúlpeme, pero tengo que retirarme. Si estuviera vivo, me habría subido la presión a doscientos. Otro día seguimos. Adiós.

# SEGUNDA SESIÓN

Hoy me siento mejor. Perdone el exabrupto de ayer, Encarnación, pero cuando me acuerdo de todas las insolencias que tuve que aguantar en vida, me cabreo sin poder remediarlo. Gracias por entenderme. Sí, me imagino que usted debe haber oído cosas mucho peores en este oficio.

Podría contarle de las innumerables vueltas que di por Miami, desde Kendall hasta Dade, con los de Kansas. Según las caras de estreñimiento que ponían, nada les parecía satisfactorio. Todo estaba muy chico, muy lejos o muy caro. Si los llevo a la mansión de Julio Iglesias, igual le hacen un feo. Pero ¿a qué aburrirla y gastar su precioso tiempo en boberías? Mejor volvemos a mi casa, donde pasaba algo más sustancioso y relacionado con el tema que nos interesa a los dos.

Ésta es una de las incontables ventajas de haber cruzado el charco, ¿sabe? (El Aqueronte, quiero decir, no el Caribe). Que podemos visitar el pasado, el nuestro y el de los demás, y enterarnos de cuanto se nos ocultó en la vida.

Acabada la cena, todo parecía estar en santa paz. Bill y Kathy, sentados en el sofá, seguían cuchicheando. Dalila, como de costumbre, se hipnotizaba mirando *El sexo y la ciudad* con Flo en el regazo. A ella que no le hablen de sexo, porque suelta una patada peor que la de una dama victoriana transmutada en mula. Ni mucho menos le digan de ciudades, que todavía sigue añorando Los Palacios, aquel pueblito pinareño donde nació. Figúrese que detesta Miami, desde los embotellamientos hasta las playas sucias. Sin embargo, se cuelga de esa estúpida telenovela como una garrapata de un perro gordo. Y oiga usted las gansadas que se le ocurren:

—Ay, cómo envidio a Carrie. Aunque parece medio boba. Con sus bolsas Fendi, sus zapatos Manolo Blahnik, el Big tan guapo y enamoradísimo de ella… y nunca está contenta. Yo no sé qué tiene esa mujer en la cabeza.

—Es un programa tonto, mami –respondió Kathy, arrugando la nariz con aire de maestra de kinder.

—Ya sé que es una fantasía, chica, no te hagas la sabihonda. Pero me da la gana de hacer mis comentarios.

—Allá tú, sigue perdiendo el tiempo. Yo me voy. Le dije a Susie que iba a llegar sobre las ocho y media y entre pitos y flautas van a dar las nueve. No quiero que otro día diga que no puede cuidarme a la niña.

—Sí, tú eres como Blas. Ya comiste, ya te vas. Dale un beso a Wym. Y tráela la próxima vez, no la dejes más con extraños.

Wym es mi nieta. ¿Usted cree que ése es un nombre de persona? Cuando sea grande verá que se lo cambia, siguiendo la tradición familiar.

—Cada vez que la traigo le da un ataque de asma por culpa del gato.

—Estás como tu padre. Deja en paz a Flo, que no se ha metido contigo. ¿Qué ataque ni qué asma? Ésos son pujos de la vejiga, tan payasa que es.

Y volvió a sumergirse en las aguas podridas de *El sexo y la ciudad*, conferenciando con la pantalla en plan de chisme:

—Samantha es la que me cae más pesada… Luego, es una indecente, siempre restregándose con el idiota del marido. Tiene comezón por allá abajo.

—Habla con mami ahora —le susurró Kathy a Bill, mientras éste la acompañaba hasta la puerta—. Aprovecha que no hay moros en la costa.

Bill se sacó el móvil del bolsillo y empezó a darle vueltas entre los dedos.

—Tienes razón. Pero antes voy a borrar todos estos mensajes de texto. Si papi los descubre por casualidad, me hace pedazos el teléfono.

Cualquiera diría que un servidor era un ogro que almorzaba gente cruda y desayunaba móviles fritos. Un troglodita con cuello y corbata.

—Por eso te digo que acabes de trazar tus límites. No permitas que el viejo se ponga a trastearte el teléfono. Y cuando mima pregunte quién te llamó, ni te molestes en inventarle un cuento. Le dices con carácter: «es asunto mío».

—Y del bofetón que me da, caigo de nalgas en Hialeah.

—No exageres, que ella no le da un manotazo ni a Flo.

—Pero cuando le hable de la marcha va a tomarlo como un insulto personal. Y el viejo... ése me revienta a patadas.

—Bill, deja el drama. Peor es que no digas nada y te saquen por el telediario al otro día. O que alguien les vaya con el cuento. Entonces te van a llamar mosquita muerta e hipocritón y no vas a tener boca para contradecirlos. Mientras que si hablas claro les llevas una de ventaja.

En eso Bill, que no había dejado de darle vueltas al móvil como un adolescente que se descubre el pito, lo dejó caer al suelo. (El móvil, no el pito). Se agachó para recogerlo y descubrió el sobre que yo ocultara debajo del sofá.

—Mira, Kathy, una carta. Seguro que se le cayó al viejo.

—¿Una carta de quién?

—¿Tú no dices que la privacidad…? —Bill le hizo una mueca burlona.

—Anda y ábrela, no te hagas el gracioso.

—No, si está abierta… Es un cheque para la peluquería *Hair Today*, que rebotó.

—Deja ver —Kathy examinó el cuerpo del delito—. Qué raro. Papi siempre ha sido muy cuidadoso con el dinero. Lo bueno hay que reconocérselo.

—Pero está firmado por la vieja.

—Mami —Kathy alzó la voz—, ¿tú sabes cuánto dinero les queda a ustedes en el banco?

Dalila ni siquiera despegó la vista del televisor, absorta en el beso a lenguas chupadas que compartían hacía un minuto largo Carrie y Big.

—¿Eh?

—Mira lo que encontré en el piso. ¿Desde cuanto ustedes firman cheques sin fondos?

—Yo no sé de qué estás hablando. Y todo lo que tenga que ver con dinero y cuestiones del

50

banco háblalo con tu padre y no me incordies más.

—¡Ay, Virginia Woolf, esto se dice y no se cree! –explotó Kathy–. Que en pleno siglo XXI una mujer no sepa nada de los asuntos financieros de su casa… Y lo que es aún más indignante, ¡que ni siquiera le interesen!

De la televisión llegaban los suspiros lúbricos de los protagonistas, mezclándose con los alaridos de mi adorable hija. Y como de costumbre, la culpa de todo cayó en el totí. Esto es, en mí.

—Si hay problemas con el dinero, el viejo no nos los va a contar –le dijo Bill a Kathy–. Ya tú lo conoces.

—Sí, ya conozco al Comandante en Jefe. No sé por qué se cambió el nombre, porque pal caso…

Se salvaron que yo no estaba allí, porque si dicen delante de mí eso del Comandante en Jefe, les parto la cara. ¡Los muy desvergonzados!

Por fin se acabó la telenovela. Dalila apagó el aparato y se metió en la conversación con su habitual despiste.

—¿Qué lío se traen ustedes? ¿Te hace falta dinero, Kathy?

—A mí no me hace falta nada. Y el lío lo tienen tú y el viejo, para que lo sepas. Mira este cheque que les devolvieron, y es por sólo cincuenta dólares. ¿Cuánto les queda en la cuenta de ahorros?

—Yo qué sé.

—Mami, ¿tú no has aprendido a decir otra cosa? «Yo qué sé, yo qué sé…». Oye, que es *tu* cuenta también. ¿Cómo pueden ustedes vivir tan controlados, tan dependientes de lo que diga un solo hombre?

—Chica, es muy fácil hablar de independencia cuando una se mantiene sola y tiene su propio salario. Pero el que paga todo en esta casa es tu padre. Y quien corre con los gastos es quien ordena y manda –concluyó mi costilla, que aquella noche tenía la vena filosófica.

Si yo hubiese *ordenado y mandado* habría desaparecido al animalejo peludo hace años y exigido que me trataran con más respeto, pero no quiero ponerme a analizar el asunto a estas alturas. ¿Ya para qué?

—¿Y a ti se te han roto las manos? –siguió Kathy con el dime que te diré–. ¿Por qué no te buscas un trabajo para que puedas ordenar y mandar también?

Se desbocó. Porque a Dalila pueden decirle hasta botijas verdes en tanto no mencionen la palabra «trabajo» que es, para ella, el peor insulto recogido en el diccionario Larousse de la lengua española.

—¡Porque no me da la realísima gana! –le contestó hecha un áspid–. ¿Quién eres tú para decirme lo que tengo que hacer, so atrevida? Buena estás tú para aconsejar a nadie. ¡Buena estás!

—Mami, yo lo único que quiero es ayudar a...

—¡Ayudar, mierda! Te pasas la vida metiéndote en lo que no te importa. Pero tú no toleras que nadie te diga ni ji. ¿Te salió de los ovarios preñarte sola... o con una jeringa plástica? Está bien, yo no quise meterme, aunque aquello fue un soberano disparate. ¿Te dio la gana de parir una hija sin padre? Allá tú con tu condena, yo tampoco dije ni esta boca es mía. Pero no vengas a trazarme pautas a mí, que estás tú muy culicagada para eso.

—Hey, cálmense las dos –intervino Bill–. Tranquilidad en la granja. Kathy, ven acá.

—No, si ya yo me iba.

Dalila le lanzó un pitonazo:

—Llevas una hora despidiéndote.

Y la otra se largó, dando un portazo.

Hasta un versito me salió. ¿Se fijó, Encarnación?

—Tu hermana me ha puesto la cabeza como un bombo –refunfuñó Dalila, apenas se quedó a solas con Bill–. ¡Qué bretera es!

—Pero lo del cheque que rebotó es serio, vieja.

—Mijo, ¿qué quiere decir eso de que rebote un cheque? ¿Es que choca con algo o qué?

Usted pensará que yo le prohibía a mi mujer enterarse de las cuestiones financieras y que *la mantenía sumida en la ignorancia y el oscurantismo* –una frase favorita de Kathy–. Si bien es cierto que traté de evitarle el disgusto de saber que estábamos en bancarrota, nunca le impedí el acceso a la cuenta común, que ella usaba sin el menor reparo para escribir cheques a todo pasto. Cuando Bill le explicó que probablemente carecíamos de fondos, lo único que contestó fue:

—Qué vergüenza con esas muchachas tan finas de la peluquería. Mañana mismo les llevo el dinero.

—Si es que lo hay.

—¡No me asustes, muchacho! ¿Y la hipoteca? ¡Ay, mi madre! ¿Tú crees que el cheque para la compañía hipotecaria tampoco tenga fondos? ¿Hay alguna manera de enterarse?

Bill se quedó pensando un momento. Luego corrió a buscar su ordenador portátil.

—Podemos entrar al sitio en la red del Bank of América –dijo–. Dame el cheque para copiar el número de la cuenta. Ah, cará, me hace falta una contraseña. ¿Tú no la sabrás por casualidad?

—Fidel.

—¿Fidel?

—Sí, tu padre la usa para todo. Dice que es la más segura. Según él, no hay otro cubano en todo Miami a quien se le vaya a ocurrir lo mismo. Y como al fin y al cabo es su nombre también…

A los pocos minutos apareció en la pantalla del ordenador un enjambre de numeritos colorados, prueba de todos y cada uno de los cheques que habíamos firmado sin tener un centavo para respaldarlos. Allí estaban el 1877, para el Sun-Trust Mortgage, por dos mil trescientos dólares, el de USAA, la compañía de MasterCard, por cinco mil doscientos, y la letra del coche de Dalila y aquel de la peluquería y un montón más.

—Esto está pelúo, vieja –murmuró Bill.

Se quedaron callados. Diez minutos después el chico rompió el silencio y empezó a tartamudear:

—Esto... yo quiero decirte una cosa...

—No, Guillermito –lo paró en seco mi costilla–. Ahora no. ¡Por favor!

—No, ¿qué?

—Que no se te ocurra soltarme otra tiñosa en este momento, muchacho. ¿No ves que ya se me han puesto los nervios de punta? ¿Y si perdemos la casa? ¿Y si tenemos que recalar en un apartamento donde no admitan gatos?

—Deja al gato ahora, mami. Hay algo que mi hermana dice que yo debo contarte. Tú no sabes lo que...

—¡Ni lo quiero saber!

A fin de terminar la charla Dalila se sentó de nuevo frente al televisor, después de desplazar a Flo. Se sujetó la cabeza entre las manos en pose muy dramática, como madre sufrida de culebrón.

—¡Que ni lo único, lo único que a mí me gusta, que es ver la tele un rato por las noches, lo pueda hacer en paz! ¡Déjame tranquila, por el amor de Dios! ¡No me atormentes más!

Bill dio media vuelta y se dispuso a salir. Pero el diablo lo pinchó, cambió de idea y regresó junto a su madre.

—Mira, vieja...

—Te dije que no me molieras más la paciencia. ¿O estás sordo? ¿Qué parte del «no» tú no entiendes?

—Despreocúpate, que no voy a hablarte de mí. Pero tienes que ponerte dura con el viejo. Tienes que preguntarle qué está pasando con el dinero. No puedes dejar que él sea el único que tome decisiones aquí. Está bueno ya de soportar... al Comandante en Jefe de Miami Beach.

—Déjate de faltas de respeto. ¿Por qué ustedes le tienen tanta tirria a su padre? Cuando lo único que hecho toda su vida, el pobre, es trabajar como un mulo para que no nos falte nada.

—Eso dice él. Pero trabajar no es lo *único* que ha hecho.

—Cállate ya.

—No sigas tapando el sol con un dedo. Tú no estás enterada de muchas cosas. De cómo ocurrieron los hechos, para hablarte igual que en las pelis.

—¿Qué hechos, criatura? ¿Qué disparates estás diciendo?

—¿Disparates? Óyeme cantar...

Y empezó el nene a soltarle el rollo de algo que había pasado en el año del ruido. Algo que nunca debió de haber salido de su boca, pero que salió, y en el momento menos oportuno. Vaya tuno.

Con rima y todo, ¿lo oyó? Otra vez. A ver si después de muerto me vuelvo poeta. Tremenda plancheta.

Qué va, estoy hablando demasiadas majaderías, así que mejor cortamos por hoy, ¿le parece, Encarnación? Chao.

# TERCERA SESIÓN

Buenas tardes. Oiga, qué bien le queda esa blusa, Encarna. No le molesta que le acorte el nombre, ¿eh? Siempre me han gustado las mujeres que se ponen los escotes bajitos porque se ven más… más femeninas que con esos chándales horrorosos que no tienen ni forma.

Ya, ya sigo. Retomamos el hilo. Pero para que usted no se lleve una impresión equivocada voy a explicarle antes unas cuantas cositas. Permítame un poco de historia, por favor.

Después que viajamos «al exterior», como se le llamaba eufemísticamente en Cuba al resto del mundo, mi mujer, Katia y yo dimos algunos tumbos. Primero vivimos un año en un pueblo horroroso llamado Saskatoon, en Canadá, en la misma esquina del Polo Norte. Entre el frío (podía usted cazar un venado y dejarlo una semana a la puerta de su casa, que no se pudría), las comidas insípidas que se estilan en esa zona y la gente que habla por la nariz, no aguantábamos más. Yo trabajaba en lo que aparecía –primero en una fábrica de conservas, luego en una papelería– pero no me adaptaba. Al fin conseguí visas para Estados Unidos y caímos de patitas en Miami.

Aquí anduve varios meses desorientado. Con decirle que hasta desempolvé un viejo sueño que traía desde Cuba –un sueño frágil y rosado como un merengue en el cual yo escribía un guión que se ganaba el Oscar a la mejor película extranjera–. No, no se ría. Es que por muy práctico que uno parezca, también tiene sus rinconcitos polvorientos de idealidad.

Me matriculé en una clase para guionistas del Miami Dade College. Carísima por cierto, al menos para mi endeble presupuesto de entonces. Pero no saqué nada en limpio. A lo mejor yo estaba ya muy viejo para darle alas a la imaginación. (Perdón, borre eso de las alas. Suena mariconil). El caso es que me quedé con las ganas de escribir embotelladas hasta ahora que usted me ha dado esta oportunidad. Claro, *usted* es la que escribe, no yo. Pero las ideas son mías, que conste.

Volví a la universidad a luchar con el inglés y a los pocos meses tomé otra clase para aprender a negociar con bienes raíces. Fue lo mejor que hice en la vida. Con ese curso, Dios me vino a ver. Al terminar el semestre me di cuenta de que había encontrado mi verdadera vocación y me dispuse a ponerla en práctica.

En Cuba había estudiado derecho, pero nunca ejercí la abogacía. En lugar de lidiar con tribunales y pleitos, me metí a dirigente. ¿Usted no es cubana, verdad? Ah, es dominicana. Ya me lo parecía por el acento. Entonces le explico que, en mi país, ser dirigente es un cargo sumamente ecléctico, mezcla de administrador con líder político con actor de telenovela. Puesto utilísimo en la isla, pero que no sirve para nada fuera de ella. Con mi experiencia de dirigente y dos dólares me compraba una taza de café en cualquier cafetería de la Calle Ocho y pare usted de contar.

Pero aquella clase me abrió los ojos. Todo era muy sencillo: teniendo un buen producto que ofrecer (y había propiedades en venta hasta para hacer dulce) y un poquito de labia, el que no se forraba de dinero en La Florida era bobo o haragán de marca mayor. Como yo no me consideraba ninguna de las dos cosas decidí convertirme en vendedor estrella, aún sin haber leído a Og Mandino. Y lo logré.

Primero trabajé para otros corredores y me empapé de todos los trucos del oficio. Cuando sentí que estaba listo para dar el gran salto me despedí e ipso facto abrí mi propia oficina, *Carballo Properties*. Alquilé un local céntrico. Frente al buró puse un afiche que decía «No hay nada como un sueño para crear el futuro». Sembré las paredes con más letreros del mismo estilo un poco cutre, pero inspirador. Y ya fuera por las buenas vibras de las palabras o por la maña que me di, el caso es que empecé a levantarme y a ganar plata a burujones.

A los cuatro meses contraté a Tony, un puertorriqueño listillo que desde entonces se volvió mi mano derecha. Pero teníamos que lidiar con tanto papeleo que me decidí a buscar una secretaria también. Porque con mi mujer no podía contar para nada. Según ella, «se dedicó a criar a mis hijos». Ahora, cuando los muchachos estaban ya requetecriados (y bastante malcriados, además) todavía seguía la doña empeñada en vivir a costillas mías. No salía a buscar un empleo ni aunque se lo mandara Dios. Le dejé que viviera echándose fresco, quizá ése fue mi error. Debí de haberle dicho: o te buscas un trabajo o te vas para el carajo.

Sigo, sigo. Puse un anuncio en el Nuevo Herald y la primera en llamar fue una muchacha, que, se notaba con sólo oírle la voz, era cubana hasta la médula. Mi plan original consistía en contratar a una americana para que me ayudase si me trababa con el inglés. Y porque, nativa al fin, sabría más de negocios que cualquier inmigrante. Pero pensé que me hacía falta coger experiencia en entrevistar candidatas y le di una cita a la compatriota.

Lo que entró por aquella puerta fue un monstruo. Un monstruo en minifalda roja, tacones de vértigo y una blusa tan ajustada que se le marcaban hasta unos pelitos negros que le crecían sobre las tetas. El monstruo me extendió una hoja con su currículum, tan diminuto como grandes eran sus nalgas y, sin que nadie lo invitara, se sentó frente a mí con las piernas cruzadas. Para disimular le eché un vistazo al papelejo.

—Bueno, muchachita, veo que no tienes mucha experiencia en ventas ni en mercadotecnia –fue lo primero que le dije, cuando me recobré de la impresión.

—Oiga, compañe… perdón, señor, yo acabo de llegar de Cuba. Todavía tengo los pantalones empapaos con agua del Caribe. No puedo saber na de merca… ¿cómo dice usted? mercatenia o lo que sea.

Me di cuenta de que aquello no tenía arreglo y para terminar rápido le pregunté:

—¿Sabes conducir? Porque moverse en coche es un requerimiento para este tipo de trabajo.

—Conduciendo vine –contestó la muy fresca–. En el carro de un amigo mío, que si la mujer se entera de que me lo prestó, lo deja sin pelo. Y en cuanto tenga una oportunidad voy a sacar la licencia.

—¿Cómo te las arreglas con el inglés?

—Me defiendo. En el par de meses que llevo en Miami se me ha pegado algo con los programas de la tele. No se vaya a pensar que una es tan bruta como parece. Yo tengo tremendo mendó, míreme. Míreme bien.

Ante tal estímulo le hice una radiografía visual sin ningún disimulo.

—Sí, se nota que tienes aptitudes… ¿Cómo es que te llamas?

—Yordanka López.

—Yordanka, oye eso. A tu generación le tocó cada nombrecito que no hay quién lo pronuncie.

—Verdad que sí. Pero estoy pensando en cambiármelo a Jennifer, pa que me llamen como a la JLo. La gente dice que mis piernas son igualitas a las de ella. Y la delantera lo mismo.

Conversamos un rato más y la aspirante a secretaria siguió engolosinándome con los atributos que la madre naturaleza le había derramado encima a raudales. Me contó que trabajaba en un restaurancito de la Calle Ocho como mesera, lavaplatos y lo que se terciara. Pero que estaba buscando algo que dejara más plata y con oportunidades de prosperar. Tenía motivación, lo que le admiré tanto como los pezones pintiparados.

En Cuba había sido técnica en protección e higiene del trabajo en una farmacia. Revisaba los extintores, vigilaba que el agua de los bebederos no tuviera cucarachas, reportaba si se tupía un inodoro… El típico convenio cubano de «yo hago como si trabajara y el administrador hace como si me pagara», me confesó. Entonces le eché un sermoncito para que supiera que las cosas eran diferentes aquí.

—Ése es un gran problema que traen ustedes, los exiliados jóvenes. Están acostumbrados a recibir un sueldo, por escaso que sea, sin levantar un dedo. Métete en la cabeza que en La Yuma las cosas son distintas. En este país hay que sudar los dólares porque ningún administrador te los va a regalar.

—Ya lo sé. Y no he venido a que me regalen nada. Tengo salud pa trabajar, gracias a Dios y a la Virgen del Cobre. Y muchas ganas de echar palante. ¿No ve que estoy buscando empleo? Yo no quiero pasarme la vida dependiendo del Güelfea, ni del gobierno ni de nadie.

Aunque no supiera pronunciar la palabra Welfare, su entusiasmo me conmovió. Lo juro. Y sólo por una cuestión de principios le endilgué la segunda parte del discurso que les soltaba siempre a los recién llegados:

—Por otro lado, ustedes tienen complejo de carneros. Todos se escabulleron en cuanto les dieron la oportunidad, sin arriesgar el pellejito ni tratar de cambiar la situación en la isla. Dime una cosa: ¿alguna vez se te ocurrió hacer algo contra el de la barba? ¿A que no le tiraste nunca ni un hollejo de naranja a un retrato suyo?

70

—Seguro que no. ¿Pa que me metieran presa? Y el pellejito, como usted dice, me lo cuido muchísimo. ¿No ve que es el único que tengo? A mí no me gusta buscarme líos, qué va.

—Ah, pero yo sí que «me busqué líos». Ésa es la diferencia. Mira, yo era director de una empresa de alimentos, un cargo de categoría. Andaba en carro por toda La Habana. Claro, un Lada ruso es una mierda si lo comparo con el Mercedes Benz que tengo ahora. Pero tú sabes lo que significaba un Lada en Cuba.

—Sí, un privilegio –asintió, impresionada–. Suerte que tenía usted.

—No me faltaba nada, muchachita. Vivía en una casona del reparto Miramar. Una mansión con aire acondicionado, televisor a colores, video, un barcito en la sala, baño con agua fría y caliente… de todo. Si me fui es porque no aguanto las injusticias. Y cuando empezaron a no dejar entrar cubanos a los hoteles y a vender hasta las aspirinas en dólares, me entró la indignación. Un día, mientras *quién tú sabes* echaba un discurso en la Plaza de la Revolución, me le paré delante y dije: «Comandante, aquí tienen que cambiar las cosas. El pueblo no puede seguir así. Esto se ha convertido en un apartheid peor que el de Sudáfrica».

—¿Usted le dijo todo eso en medio de la Plaza?

—Sí, chica, sí. ¿Tú no te enteraste? Porque toda La Habana supo del escándalo aquel.

—Bueno, yo soy de Oriente.

—Ah, por eso... Pues para no hacerte el cuento muy largo, enseguida se me tiraron arriba un carajal de guardaespaldas y soldados y milicianos y la madre de los tomates. Me llevaron a un calabozo de Seguridad del Estado. Luego me condenaron a quince años en Kilo Ocho, una cárcel que no quieras tú ver ni en sueños. Estuve en celda de castigo por varios meses y cumplí dos años completos. Pero logré salir cuando hicieron una amnistía para los presos políticos. El propio embajador de España intercedió por mí, fíjate si mi caso le dio la vuelta al mundo.

No sé si la convencí o no. Le confieso, Encarnación, que yo me había tomado unas cuantas licencias literarias. Después de todo, no estaba hablando bajo juramento. Y ya me había decidido a contratar a la chica, así que quería... vamos, darle una imagen de tipo duro, de patriota. ¿Comprende?

Luego pasamos a otro asunto. Como el curriculum de Yordanka lucía bastante anémico, me di a la tarea de comprobar sus conocimientos. O, hablando en plata, la falta de los mismos.

—¿Sabes escribir un anuncio comercial? –me miró como si le hubiera preguntado por la capital de Burundi–. A ver, ¿cómo describirías esta propiedad?

Le mostré unas fotos. Y comenzó la pobre a rebuznar:

—Una casa… una casa vieja y chiquita, con patiecito atrás.

Me armé de paciencia y le expliqué que «una casa vieja» no era apropiado. Que «chiquita» así, a secas, tampoco sonaba bien. Que tenía que aprenderse el vocabulario del negocio y avivarse porque si no, no iba a vender ni una tienda de campaña.

Entonces la muy culipronta, para usar una palabreja de mi mujer, se levantó y se puso a mi lado con el pretexto de mirar los anuncios que tenía en el buró. Vaya, que me plantó el fambá en la cara. Aquello era una provocación a lo descarado. Y uno es hombre –bueno, lo era. Empecé a manosearle las nalgas, duras y redondas como pelotas de fútbol. Y ella a soltar risitas y a retorcerse como anaconda epiléptica y a apretujarme la cabilla con…

Perdón, ya sé que estos detalles no le importan. Se me fueron sin darme cuenta. Borre, borre. Le decía que estábamos muy entusiasmados con

74

el masacoteo cuando entró Bill. Llegó pidiendo mil disculpas –fino que ha sido desde niño– y un aventón para la práctica de baloncesto.

—¿Tu madre no te iba a llevar? –le pregunté, arreglándome con disimulo los pantalones estrujados.

—Sí, pero Flo vomitó un lagarto y ella salió corriendo con él para el veterinario y me dropeó aquí afuera para que me llevaras tú –contestó Bill de carretilla, observando a Yordanka con el rabillo del ojo.

—Me *dejó* aquí afuera –lo corregí–. Si vas a hablar español, háblalo bien.

—La práctica empieza a las tres.

Eran las dos y media. No tuve otro remedio que apresurar las cosas, dándoles un corte más brusco de lo que había planeado.

—Está bien, chico, ahora vamos –me volví hacia la solicitante–: Señorita López, quedamos en que usted comienza a trabajar mañana a las ocho en punto. Llévese estas carpetas con anuncios y estudie el lenguaje de los bienes raíces. Recuerde venir vestida... profesionalmente.

Así fue el inicio de mi asociación con Yordanka, que abandonó la oficina meneando putescamente el trasero. No me arrepiento de haberla contratado porque, en su honor sea dicho, se civilizó rapidísimo. A los dos meses se ponía todavía sus vestiditos ajustados, pero sin indecencia, y transcribía mis cartas al ordenador con sólo una o dos faltas de ortografía en cada párrafo. Aprendió a chapurrear el inglés y a manejarse en el negocio porque esa chica es una comerciante nata. Capaz de venderle un bloque de hielo a un esquimal y un saco de arena a un árabe.

En el trayecto hacia el estadio de baloncesto pensé que me convenía poner a Bill de mi parte, por si las moscas.

—¿Viste que hembrota? —le dije, guiñándole un ojo—. No hay como las cubanas, hijo. Yo creo que es medio analfabeta pero se manda un nalgatorio que Dios se lo bendiga.

—¿Ella es… tu *lover*? –me preguntó. El hecho de que recurriera al inglés, como siempre que se azoraba, me confirmó que algo había visto.

—No, chico, no vayas tan rápido. Por el momento va a ser mi secretaria, mi *office girl*. Yo no puedo seguir haciéndolo todo en la oficina. Y como con tu madre no se puede contar ni para que escriba una factura… Ah, cuidadito con que se te escape una palabra de esto delante de ella o de tu hermana. Los hombres de la familia debemos apoyarnos unos a los otros, ¿oíste? Y tú tienes que aprender a ser hombre desde chiquito, para que crezcas bien machote, como yo.

Ja. Ése no se hace hombre ni a chanclazos. Menos mal que no me alcanzó la vida para verlo pirujeando de un lado a otro, con las uñas pintadas y el culo en alto. Me desprestigió por completo, después de los buenos ejemplos que le di…

Pero con su madre le salió el tiro por la culata. Volviendo a la noche del chisme, Dalila, después de oírle la descarga, puso un hocico de tres varas de largo.

—¿Eso era lo tenías que decirme con tanto misterio? –le preguntó a Bill.

—Es parte.

—Pues para que se te quite la cosquilla, ya lo sabía. Y has hecho mal, pero muy mal, en venirme con semejante cuento. ¿A qué hablar de un incidente que pasó hace más de cinco años? ¿Para qué revolver la mierda? Si tan importante te pareció en su momento, ¿por qué te lo tuviste guardadito hasta ahora?

—Porque entonces yo no sabía si debía comentarlo.

—¡Tú eres un chismoso y un mamertón, chico! Y sabes más de lo que te conviene, no te hagas el guanajo. Ahora déjame ver la televisión tranquila, que ya me has fastidiado bastante la noche. ¡Vete a jugar con un palito y mierda y no jeringues más!

Lo puso en su lugar. Bien hecho.

Cuando regresé a casa Dalila y yo tuvimos una conversación muy seria. No, no me mencionó para nada a Yordanka, qué va. Todo versó sobre el dinero. Me preguntó si estábamos apretados y yo le contesté que sí, que bastante, y aproveché para pedirle que no usara su tarjeta de crédito ni escribiera más cheques hasta que nos recuperásemos. Y ella pareció entenderlo. Digo «pareció» porque en realidad le entró por un oído y le salió por el otro, como verá usted cuando nos volvamos a reunir.

Ah, y póngase esta blusita otra vez, Encarna. Como le dije antes, le queda pintada. Alebresta a cualquiera, incluso al querubín aquel que está colgado en la pared.

# CUARTA SESIÓN

Alabao, qué cosa más rica… esto sí es una hembra total y no esas lagartijas desnutridas, descarnadas y desangeladas que salen por la tele. No lo tome a mal, mi santa, pero usted es como el vino bueno, que cada día que pasa sabe mejor. Tiene razón, no la he probado todavía. Pero me imagino… Yo soy un tipo con tremenda imaginación, ¿sabe?

¿Ah, el cuento? Bueno, a ver si acabamos la jeringada historia de una vez para dedicarnos a algo más provechoso… Unos días después de aquella conferencia con Dalila llegué a la oficina

y empecé la mañana en brega con los acreedo-
res. El primero que llamó fue un cobrador de
la agencia que nos había vendido el carro de mi
mujer. Hacía cuatro meses que no pagaba la letra
porque, sencillamente, no tenía un centavo partido por la mitad. Pero al menos debían conside-
rar que ya les habíamos liquidado el setenta por
ciento. Traté de pedir una prórroga:

—Mire, yo quisiera cumplir con ustedes pero
mi negocio está pasando por una mala racha. La
situación…

—Eso no me concierne. Si no nos manda el
cheque hoy mismo tendremos que recuperar el
Lexus –me advirtió muy agresivo el cobrador.

Tiré el teléfono y lo dejé con la palabra en la
boca.

Sonó otra vez el timbre y lo ignoré. No tenía ganas de aguantarle pesadeces a la gente del
MasterCard o de la hipoteca. Entró Yordanka y
fue a levantar el auricular. Le di un manotazo.

—Papi, ¿qué pasa? Como están las cosas no podemos darnos el lujo de perder la llamada de un cliente –fíjese usted si se había vuelto responsable la muchacha.

—No son clientes, corazón.

—Si es alguien pidiendo dinero yo le digo que no entiendo inglés, aidonpiquinglich, y que tú estás de viaje. Así los distraemos unos días.

Descolgué el auricular para que no siguieran agobiándome. Y apagué el celular también.

—Ya no se resuelve nada con distraerlos, Yordanka. Estoy en quiebra, hundido en este pantano lleno de cocodrilos que es Miami y sin esperanzas de salir a flote otra vez. Reventado, mi amor.

Me sentía bien desahogándome, cosa que jamás me atrevía a hacer en mi propia casa por aquello de mantener la imagen.

—No empieces con la depre.

—¿Y qué quieres que haga? Acaban de llamarme de la agencia que vendió el Lexus de Dalila. Lo van a reposeer.

—Pues se las arreglan con un solo carro y en paz. Con lo cara que está la gasolina va a ser hasta un ahorro. A fin de cuentas, ¿para qué necesita tu parienta el coche, para ir a shows de gatos en Coral Gables?

En eso tenía toda la razón. ¿Qué falta le hacía a mi costilla un auto de lujo? Tanta como a un chihuahua un par de aretes.

—Pero es que vamos a perder la casa también. Hace tres meses que no pago la hipoteca y me han dado uno más de plazo. Y no sé con qué cara les voy a decir a Dalila y a mi hijo: «el Titanic se está hundiendo y tenemos que agarrar un bote antes de que se vaya al fondo». Digo, mientras queden botes y no nos coman los tiburones, que para allá vamos.

—Papi, no hables mierda. Tú no sabes lo que es estar montado en un bote de verdad y rodeado de tiburones. Yo *sí* lo sé.

—Chica, era una metáfora.

—Metáfora ni un cohete. Aquí todo el mundo se queja de la crisis y se está jalando los pelos. ¿Crisis de qué? Mientras no racionen el arroz ni la harina, mientras no pongan el papel de baño y los Kotex por la libreta, mientras te puedas comer un pedazo de carne aunque sea en McDonald's, límpiate el culo con la crisis.

Yordanka tiene muchas cualidades, pero lo de prosaica no se le quita ni restregándola con jabón de Castilla. No comprendía que yo estaba en peligro de perder no sólo la casa, sino la posibilidad de pagarle los estudios en una buena universidad a Bill, mis trajes Armani, las cenas en Larios y Bongo's y el estatus al que me había acostumbrado. La buena vida, que es más que comer y cagar.

Tampoco se imaginaba que había una pistola guardada en la última gaveta del buró. Aquella cláusula del contrato con la compañía de seguros que Dalila sacara a colación se me había grabado en la mente con letras de fuego. (Perdone la figura literaria, sé que es un poco cursi, pero ya le advertí que no soy escritor. Usted póngala ahí de todas formas). La idea de darme un tiro me atraía por una veta dramática que he arrastrado siempre. Sin embargo, me daba miedo terminar como los personajes de esas telenovelas intragables que le gustan a mi mujer. ¡Vaya ridículo!

Luego estaba el aspecto práctico del asunto. La cláusula en cuestión no incluía el caso de suicidio. Lo mejor sería simular un accidente: agarrar el Mercedes antes de que me lo quitaran también (debía dos meses) y tirarme contra el primer camión de hortalizas que encontrase en el Express Way. Pero no le podía contar nada de esto a Yordanka. ¿Para que me mandara a ver a un siquiatra? Esa mulata, dura y jacarandosa como es, no debe haber estado deprimida ni un solo día en toda su vida. Es una feliciana.

—En realidad, toda mi preocupación es por la familia –le dije–. Si yo estuviera solo cerraría la oficina y me dedicaría a otra cosa por un tiempo, hasta que las aguas volvieran a tomar su nivel. Total, yo llegué a este país sin nada y me puedo volver a levantar.

—Claro. Y con lo bien que hablas inglés, encuentras empleo en cualquier parte.

—Pero tengo a Dalila y a mi hijo. ¿En qué trabajo voy a ganar lo suficiente para seguirlos manteniendo?

—Papi, desde que lo nuestro empezó, me advertiste que no te ibas a divorciar porque tus hijos te necesitaban y tu mujer no sabía arreglárselas sola y patatín y patatán. Yo nunca te reclamé nada. Lo acepté y lo aceptaría otra vez, porque tú y yo nos acoplamos donde nos tenemos que acoplar. Pero tú eres todo pa ellos, pa ellos, pa ellos... y muy poco pa ti. Aparte de las vacaciones de dos semanas que se toman todos los años, ¿qué otra distracción tienes?

Le contesté con una verdad más grande que el Morro de La Habana:

—Tú.

—Sí, ¿y yo qué soy? Parte de tus obligaciones laborales. Si no trabajáramos juntos, ni tiempo tendrías para darte una escapadita a limpiar el fusil conmigo. Vives en Miami Beach, ¿y cuánto hace que no vas a bañarte a la playa? Compraste la membresía en el Gimnasio Gold, ¿y cuántas veces la has usado? Y esa panza pa arriba y el corazón sufriendo y la úlcera creciendo... Pero a ti no te importa. Tú sigues trabajando como un mulo pa mantener al guanajo de Bill, que bien puede buscarse algo qué hacer... fíjate en mi hija, que tiene sólo doce años y ya les cuida el niño a los vecinos. Y para que no mueva un dedo la manganzona de tu mujer, que no se agacha ni para recoger un pañuelo del piso, ¡tan vaga como es!

Me quedé frío porque todo lo que ella me decía, punto por punto, me lo había dicho yo a mí mismo unas cuantas veces, en secreto. Tan en secreto que nadie, ni mi propia conciencia, se había enterado. Pero Yordanka hablaba demasiado alto como para ignorarla.

—Al principió pensé que no duraría contigo más de unos meses –prosiguió–. Que te iba a aprovechar, a exprimir todo el jugo posible, como había hecho con otras relaciones que tuve antes. Y que cuando estuviera acomodada te iba a dar la patá. Pude haberte dejado ya, tú lo sabes. Hombres no me han faltado. Pero no lo he hecho porque… porque me enamoré de ti.

—Gracias, mimi –le di un besote–. Tú siempre me levantas la autoestima veinte puntos por lo menos. Ni el Viagra me hace tanto bien.

—Y hasta le tengo lástima a tu parienta, la pobre, que vive con cuarenta años de atraso, embobecida entre el televisor y el gato. Pero, coño, ¿no te parece que llegó el momento de que pienses un poco en ti… en nosotros? Va y esta crisis era lo que te hacía falta para que reaccionaras. Mi abuela decía que Dios escribe derecho con renglones torcidos. Porque si sigues como estás, perdiendo el sueño por las deudas, atracándote de comida basura y tan cansado que ni el rabo se te para, vas derechito a un jaratá.

—¿A un qué?

—A un *heart attack,* cariño. A un ataque cardíaco. Papi, ya has hecho demasiado por tu gente. ¡Déjalos y vámonos los dos de aquí, anda!

En la clase de guionismo que tomé se hablaba del «punto desde el que no hay regreso». Cuando la acción se pone como agua para chocolate, al rojo vivo. Traté de hacerme el bobo, de no darle importancia, pero Yordanka lo tenía todo muy bien pensado. Se veía que llevaba tiempo madurando su plan.

—Vamos pal norte, chico. En Nueva York seguro que encuentras empleo, aunque sea de portero en un hotel o de lavaplatos. Yo tengo un primo que trabaja en The Village manejando un taxi y gana una millonada.

—Portero, lavaplatos… te volviste loca. ¿Y cómo me voy a meter a chofer de taxis con lo viejo que estoy y sin conocer la ciudad?

—¿Quién dice que estás viejo? Usté está entero. Y tampoco tienes que ser chofer obligatoriamente. Eso era, como dirías tú, una metáfora.

—Ah, cará.

—Me juego la cabeza a que, cuando se vea sola, la doña se busca un trabajo corriendo y deja de comer tanta catibía con el gato. Y tu hijo igual encuentra qué hacer y salen adelante. Quizá hasta les estás haciendo un favor dejándolos desenvolverse por sí mismos.

—Verdad, verdad —empecé a convencerme—. Y Kathy que les dé una mano también.

—¿Tú ves? Entre los tres que se las arreglen como puedan, que bien tarajayúos están —hizo una pausa más preñada que Angelina Jolie y continuó—: Hasta hoy yo te he seguido la corriente en todo, papi. Sin protestar. Ahora te toca a ti. ¿Vas a hacer lo que yo te diga tan siquiera una vez?

Le solté un sí que retumbó hasta el centro del afiche inspiracional. Nos abrazamos. Nos apretujamos. Nos dimos un beso con lengua y de mordisco. Pero justo en ese momento se abrió la puerta de la oficina y entró Dalila con la jaula del gato en la mano. ¡Que ni pegar un tarro en paz pude mientras viví, carijo!

Suerte que mi costilla se hizo la de la vista gorda. Puso la jaula en el buró y me dio un beso, más frío que un témpano de hielo, en la mejilla. Fue el contacto más cercano que tuvimos en varios años. Ya no nos besábamos en la boca, y no por falta de interés de mi parte, sino por dejadez de ella. Hasta pelos de Flo le encontraba en la cara cuando me acercaba a acariciarla. Aparte de los pelos propios, los que les salen a las mujeres cuando pasan la cuarentena y que ella ya no se ocupaba de quitarse.

Yordanka se sentó ante el ordenador y fingió estar ocupadísima con una presentación de Power Point.

—¿Y ese milagro tú por aquí? –le pregunté a mi vieja. Porque para cogerme en el brinco no había sido, sin dudas. A buena hora mangas verdes.

—¡Que acaban de robarme el coche! –exclamó muy dramática, moviendo las manos como la Carrie de *El sexo y la ciudad*–. Te estuve llamando para contarte y me daba ocupado y ocupado. –Reparó en el auricular, que se balanceaba cerca del piso–. ¡Pero si dejaste el teléfono descolgado, chico! ¿Y eso?

—Uh… no lo había visto.

—¡Hay que llamar a la policía enseguida! Imagínate, un Lexus casi nuevo y se lo llevan así, delante de mis propias narices. Esta ciudad se está poniendo cada vez peor, por eso yo quiero mudarme para un pueblo chiquito, más seguro. Ahorita la asaltan a una en medio de la calle como en un episodio de *Miami Vice*.

—Sí, hay que andarse con cuatro ojos –le dije por salir del paso–. Pero no te preocupes, esta misma tarde voy a hacer la denuncia.

—Tú lo tomas con una calma chicha...

—Mujer, ¿qué más quieres que haga? Eso es asunto de las autoridades... Ven acá, ¿y tú tenías que cargar con el gato para venir a contarme el lío del carro?

—Traje a Flo porque fui con él al veterinario, que hoy le tocaban las vacunas y lo primero es lo primero. Como no podía comunicarme contigo, llamé a Kathy para que me diera un aventón y luego ella me dejó aquí.

Respiré tres veces por la boca a fin de controlarme, estilo Zen. El veterinario de Flo es el más caro de todo Miami, probablemente el mismo al que Jessica Simpson lleva su maltipoo.

—¿Con qué pagaste?

—Con la tarjeta de crédito. Por cierto que no pasó, pero como allí me conocen les dije que me mandaran la cuenta a casa.

—¡Tú no te mides, Dalila! –exploté–. No hay dinero ni para el seguro médico de nosotros y te pones a vacunar al gato. ¡Estás del carajo!

—Deja de tratarme con tanta grosería delante de los extraños. Compórtate.

—¿Qué compórtate ni qué grosería? ¡Eres tremenda irresponsable!

—En todo caso, el irresponsable eres tú. Tú, que hace un montón de meses que no pagas la hipoteca, que dejas que rebote hasta un miserable cheque para mi peluquera. Pero sí te alcanza la plata para darte el lujo de tener secretaria… ¡en un negocio que se está yendo al diablo!

En realidad le debía tres quincenas a Yordanka, que había pedido un préstamo al banco para pagar el alquiler de su apartamento. Al oír a Dalila me miró y se encogió de hombros. Yo debí de haberme callado también, pero no pude.

—Entonces, si sabes cómo está la situación, si sabes que estamos a punto de que nos boten de la casa y que mi negocio está en quiebra, ¿para qué botas el dinero, estúpida? —le grité.

—¡Más estúpido serás tú! ¡Viejo asqueroso! ¿Cómo te atreves a quejarte por treinta mierderos dólares que gasté en el veterinario cuando tú le das más de mil al mes a esta… mujer por… por lo que yo no quiero mencionar?

Ni hacer tampoco, hubiera podido responderle. Yordanka, que ya había aguantado más de la cuenta, pegó un brinco en el asiento. Se volvió hacia Dalila, roja como un tomate, y le espetó:

—¡Pare la mula y repórtese que yo no me he metido con usted! Su marido no me regala un centavo. Mi sueldo me lo gano muy a conciencia, pa que se entere.

—Y quién sabe –prosiguió la otra sin prestarle atención, dirigiendo hacia mí el chorro de su rabia–, quién sabe qué otras debilidades y qué otros vicios tengas tapiñados. ¡Camastrón!

Naturalmente, tuve que defenderme. A ver si me iba a dejar apabullar así enfrente de mi querida.

—Si yo le pago a esta señorita es porque tú nunca te has dignado a ayudarme –le recordé–. No sirves ni para devolverle la llamada a un cliente. Desde que llegamos a Miami te sentaste en un sillón a ver telenovelas, empezaste a engordar como una vaca Holstein y ahí te las den todas.

—Me senté en un sillón, no, so cabrón –chilló–. ¡Me he pasado todos estos años criando a tus hijos!

—¡Pues muy mal trabajo que has hecho! Mira lo que salieron: una loca que ni marido encontró y tuvo que conformarse con la hija de una jeringuilla, y un muchacho que… mejor que me calle.

—¿Un muchacho que qué?

—¡Ya no soporto más! ¡Me voy pal carajo!

—¡Fidel!

Agarré el maletín y me dispuse a largarme con viento fresco. ¡Que se quedaran solas, que se insultaran, que se arrancaran los moños una a la otra! Dalila fue como un bólido detrás de mí y trató de aguantarme por un brazo.

—¡Oye, Kathy me dejó aquí para que me llevaras a casa! Ella siguió para Fort Lauderdale y no regresa hasta mañana.

Ah, cómo me alegré.

—Pues llama a un taxi.

—Dame el dinero.

—¡No tengo nada! ¡Vete caminando!

Tiré la puerta y salí de estampía. Fue un golpe bajo, lo reconozco. Pero ella, merecido se lo tenía. Bastante que me aguijoneó, ¿no cree usted?

Tengo un encabronamiento de padre y muy señor mío. Y aquí no hay ni ron pa bajarlo. Hágame un favor, Encarnación, cómprese una botella de Bacardí y tómesela por mí cuando salga de la botánica esta noche. Ah, y póngala en la cuenta de mi mujer, no faltaba más.

# QUINTA SESIÓN

Gracias por el palo de ayer, mi santa. Bacardí Superior, la vida misma. No hay como un buen buche de ron para quitarse la calentura. Yo nunca he sido de beber fuerte, pero cuando me sulfuraba prefería agarrar una botella antes que darle a la sinhueso y decir diez barbaridades.

Hablando de barbaridades, si nos encontrásemos por la calle le soltaba unas cuantas, Encarna. Pero barbaridades lindas, eh. Piropos estilo cubano. «Mamita, si cocinas como caminas, me como hasta la raspita» o «tú con tantas curvas y yo sin frenos».

Ya, ya me pongo serio y vuelvo a nuestra historia. Ocurrió que al verse sola y abandonada (como en el peor culebrón brasilero) mi respetable esposa la emprendió con el inmueble. Según me contó Yordanka, tiró plumas y pisapapeles al suelo, pateó el cesto de la basura, desparramó los documentos del buró, lanzó el afiche contra una pared e hizo trizas el marco. Cuando la oficina empezó a parecerse a un campo de batalla, se dejó caer en una silla abrazada a la jaula de Flo.

—Lo que faltaba, que me dejara como a una papa caliente... –sollozó–. ¡Y para colmo voy a tener que irme caminando hasta Miami Beach!

Se salvó porque Yordanka, en el fondo, es más blanda que mantequilla derretida. Se las da de zafia y de guapetona, pero eso no es más que una careta como las que todos nos fabricamos, a la medida o no, para irnos defendiendo en la vida. Después de presenciar el desaguisado sin intervenir, le dijo a Dalila como si no hubiera pasado nada:

—Mire, señora, si necesita un *ride* a su casa yo la llevo.

La otra por poco lo echa todo a rodar:

—Gracias, no quiero molestarte. Como trabajas tanto...

—No es molestia ninguna. Esta tarde quedé en reunirme con una amiga que vive por la avenida Cuarenta y Tres. Venga conmigo.

—¿No te importa llevar al gato? Te va ensuciar todo el asiento.

—¿Qué más da? Mi hija tiene una gatica de Angora y el carro está siempre lleno de pelos.

Ayudó a Dalila a cargar la jaula, le abrió la puerta y salieron juntas, de lo más campantes. Se dice y no se cree. Yo que había acariciado la esperanza de que se arañaran por mí...

Pero estaba de Dios que aquella tarde siguiera el jaleo en mi oficina. Imagínese este escenario:

el local en penumbras, la cámara enfocada sobre Bill y éste mirando hacia el buró y aparentemente conversando con alguien.

—Y pensar que me pusiste el nombre de Clinton para que saliera tan rabialegre como él –decía–. Bueno, menos mal que no se te ocurrió llamarme George… Pero no te preocupes, que no vine a hablar de política a esta hora. Vine para decirte algo que he tenido guardado desde que empecé a mear dulce y que ya no me cabe dentro. O lo suelto o reviento.

»Mi hermana me aconsejó que lo hablara antes con la vieja para que ella te fuese amansando. Pero decidí empezar por ti. Primero, porque la vieja no tiene el menor deseo de oírme. Y segundo, porque no quiero estar caminando siempre de puntillas, con miedo, al lado tuyo. Está bueno ya. Si nos vamos a morir, vayámonos enfermando.

»Mejor es empezar por el principio. El principio es una clase de tercer grado donde tenía un amiguito gringo llamado Fred. Era rubio, de ojos azules, parecía una pintura… Yo me quedaba mirándolo como un zonzo. Y él me miraba a mí, sin malicia ninguna. Nos gustaba mirarnos y nada más.

»Llegó el día de San Valentín y me tocó el nombre de una niña en la rifa, pero de todas formas le escribí una tarjeta a Fred y se la di. Al otro día llegó al aula con un párpado negro y la tarjeta rota en pedacitos. Su padre se la había hecho trizas y encima le había entrado a golpes. Era un tejano bárbaro, el muy animal. O un bárbaro tejano, para el caso es lo mismo. A la semana siguiente cambiaron a Fred de escuela y ya no lo vi más. A partir de entonces seguí mirando a hurtadillas a los gringuitos rubios de ojos claros pero no les volví a mandar tarjetas. Ni loco.

»Gay, *queer*, homosexual, pato, maricón… Hasta hace un mes estaba dispuesto a seguir la política del *don't ask, don't tell*. Sí, del no preguntes y no digas, para que no me fueran a aplicar ninguno de esos motes. Pero ya estoy harto de tanto misterio. Especialmente en una casa donde la privacidad era verde y se la comió un chivo.

»Además, necesito que tú lo sepas, viejo. No para que «me entiendas» o «me apoyes» aunque si lo quieres hacer, qué maravilla. Sino porque estoy aburrido de jugar a los escondidos contigo, con mima y con todo el mundo. Tengo una pareja... que no es una muchacha, como ya te podrás imaginar. Y con él voy a participar en la Marcha del Orgullo Gay el mes próximo. Con *él* he dicho. Sí.

En ese momento entró Yordanka y encendió la luz. Y si esto fuera una película, ahí descubría el espectador que Bill está solo frente a mi butaca vacía y en medio del desorden de la oficina.

—Muchacho, ¿qué tú haces aquí, viniste a hablar con las paredes? –le preguntó Yordanka, que ya había dejado a la cabra loca de mi mujer a salvo en casa.

—Ay, qué susto me ha dado. Yo… estoy esperando por mi papá.

—No pierdas el tiempo porque no creo que vuelva hoy. Salió por esa puerta como alma que lleva el diablo. Y yo vine a recoger este reguero, por si de casualidad viene un cliente mañana temprano que no piense que somos unos desorganizados.

—Sí, ya me di cuenta de que la oficina parece un nido de alacranes. ¿Pasó algo malo?

—Nada, que a tu madre le dio Changó con conocimiento y se convirtió en *Terminator*.

—¿La vieja estuvo aquí?

A fin de no meterse en explicaciones engorrosas, Yordanka cambió el tema:

—Oí todo lo que estabas diciendo, eh.

De momento mi retoño pareció abochornado, pero enseguida se recuperó. ¡La desfachatez de ese niño!

—Y dígame… ¿me quedó bien?

Se lo juro, Encarnación, si yo no estuviera ya muerto, me moría otra vez de vergüenza.

—Muchacho, tremendo discurso. Tú tienes labia, como Philip. Un piquito de oro. Si te metes en política va y llegas a alcalde de Miami.

—No se burle.

—Te lo digo en serio. Lo que pasó con tu amiguito Fred hasta me conmovió. Tú sabes contar una historia.

—Gracias.

—Pero no cojas lucha, nene, que tu padre está tan enterado del asunto como tú.

Si llego a estar presente, le doy una bofetada a Yordanka. ¿Por qué no se guardaría el comentario en el culón ese que tiene? ¡Charlatana, cará! Verdad es que yo me había olido algo. Sospechaba que si Bill no era pato, por lo menos sabía dónde quedaba la laguna. Pero estar enterado, lo que se dice esterado, no lo estaba. Ni tampoco lo quería estar.

—¿Usted cree? ¿Él… él se lo ha dicho?

—No, chico, ¿cómo me va a confiar algo tan privado? Pero hay cosas que saltan a la vista… Bueno, igual habla con él. Vuelve otro día cuando el ambiente esté más despejado y franquéate.

—Y yo que venía listo para el ataque hoy. Imagínese, le había prometido a mi hermana que iba a hablar con el viejo costara lo que costase.

Un minuto después, como si la hubieran llamado, se apareció Kathy toda despeluzada.

—No te molestes en explicarme nada –le informó a Yordanka, muy expeditiva–. Ya la vieja me llamó y me lo contó todo, por eso vine a recoger a mi hermano. Y yo que había planeado pasar el fin de semana tranquila con una amiga, allá en Fort Lauderdale… Aunque no hay mal que por bien no venga. A ver si después de esto, *quién tú sabes* tiene cara para echarle sermoncitos a nadie. ¿Me entiendes, Bill?

—No, ¿qué ha pasado?

—Niño, que lo que sospechamos desde que salió a relucir el asunto del cheque sin fondos resultó cierto. El viejo está en bancarrota, va a perder la casa, reposeyeron el carro de mami… Tú, si no te buscas una beca o un trabajo, no vas a la universidad ni a tiros. Y todo por culpa de *quién tú sabes*. Con su comedia de hombre proveedor y responsable ha hundido a la familia en el pantano. ¡Me cago en su estampa!

—Me vas a disculpar el entremetimiento, Kathy –se le enfrentó Yordanka–, pero estás siendo injusta con tu padre. Tú no comprendes…

—Chica, yo lo comprendo todo y mejor de lo que tú te figuras. Y por favor, no vengas a sacar la cara por él. ¡Precisamente tú! Una cosa es que una sepa… y tolere… ciertas cosas, por contemporizar, y otra es oírte a ti defender al camastrón, como lo llama mami.

—No es que yo lo defienda, pero Philip es un tipo estelar. En lugar de criticarlo tanto, deberías de estar orgullosa de él. Un hombre que se arriesgó allá en Cuba, que se enfrentó al gobierno…

—¿Cómo que se enfrentó al gobierno?

—Bueno, que se paró en la Plaza a decir unas cuantas verdades, aunque sabía que lo iban a coger preso inmediatamente. Y se pasó un par de años enjaulado. Eso es tener timbales.

—Pero ¿quién te ha contado semejante disparate? ¡Mi padre no ha estado en la cárcel ni un solo día!

—¿Ah, no? ¿Él no salió de Cuba como preso político?

—¿Qué preso político ni qué niño muerto? Nosotros pedimos asilo en Gánder cuando el avión que nos llevaba a Beijing hizo escala allí. El viejo iba a halarles la leva a los chinos para que mandaran a La Habana un barco con arroz. Pero cambió de idea y nos quedamos los tres en Canadá.

Fíjese en eso, Encarnación. Fíjese qué lengua más suelta. No hay como la familia para tirarle mierda encima a uno, a paletadas.

—Pues él me dijo que había estado dos años preso y que lo soltaron gracias a las gestiones de no sé qué embajador.

—Mira que mi padre le mete los dedos en los ojos… y en otras partes, me imagino, a la gente que se deja embaucar. Ése es un cuento de camino.

—Mi hermana, pero es verdad que fue opositor en la isla –dijo Bill–. Él mismo me lo contó.

—¿Opositor a qué, chico? ¡Despiértate y huele el café! Si hasta el último día que pasamos en Cuba el viejo conservó su cargo de dirigente y su uniforme de miliciano. ¡Si era más comunista que los calzoncillos de Fidel!

Con su permiso, Encarnación, pero vamos a seguir otra tarde. Dicen que recordar es volver a vivir y en efecto, rememorar mis últimos días me hace sentir de nuevo vivo. El problema es que hace rato llegué a la conclusión de que los muertos lo pasamos mejor.

# SEXTA SESIÓN

Qué ganas tengo de terminarle el cuentecito, Encarna. Cuando usted me llamó para proponerme esta... entrevista astral, acepté pensando que hablar con alguien me ayudaría a aclarar ciertos puntos oscuros de mi vida, a entenderme mejor a mí y a los demás. Pero lo único que he conseguido es rabiar como un condenado.

Suerte que usted, con esa cara linda y ese cuerpo rubenesco, me hace más tolerables los malos ratos. Sí, rubenesco dije. Usted está rellena y sabrosa como una empanada de jamón o una friturita de bacalao. Me recuerda un bolero de Manuel Corona:

*Te comparo con una santa diosa,*
*Longina seductora, cual flor primaveral.*

Dichosón que soy, a fin de cuentas. Igual mi mujer podía haber ido a buscar a un santero viejo, arrugado y cascarrabias. En cambio, me conectó con este tocinillo del cielo que es usted. ¡Ay, mamá!

Pues, sí, señora, no hay peor cuña que la del mismo palo. Ni peor chivata que la nacida dentro del propio núcleo familiar, como Kathy. ¿A qué explayarse hablando horrores de su padre? Los trapos sucios se lavan en casa, ¿no cree? Además, ni que yo hubiera matado o robado o hecho una atrocidad. Sólo dije unas mentirillas blancas, que no perjudicaban a nadie. ¡Tantos aspavientos por esa bobería!

Ahora le voy a contar lo que la lengüilarga de mi hija les chismorreó a los otros, aunque sin sus acotaciones. Tan solo la verdad, monda y lironda. La que nunca antes dije. Pero ya aquí no hay necesidad de mentiras ni de fingimientos, gracias a Dios.

Sólo le pido que me dé la oportunidad para exhibir, por primera y última vez, mis dotes de guionista frustrado. No le voy a narrar lo que pasó como una historia, porque si me metiera en lo que los escritores *de verdad* llaman flujo de la conciencia, me vería muy apurado para explicar ciertas cositas. Así que le presentaré los hechos en un formato de guión.

¡Luces, cámara, acción!

## Escena I: Interior

*Oficina de Fidel Carballo, administrador de una empresa de la industria alimenticia en La Habana. Hay un buró y detrás de éste una bandera cubana. Fidel está sentado en una butaca de cuero y hojea distraídamente un volumen de* El Capital *cuando entra un trabajador.*

TRABAJADOR.—Compañero administrador, no estoy de acuerdo con la sanción que usted me puso por tardanzas injustificadas. ¿Cómo voy a llegar a tiempo con el transporte como está? Fíjese, hoy me planté en la parada del camello a las seis y media de la mañana y a las siete y cuarenta no había pasado ni uno solo. Por eso...

FIDEL.— *(Alzando acusador el dedo índice.)* Sí, por eso llegaste tarde otra vez, aunque se te acababa de sancionar por el mismo problema. ¡Y todavía tienes la caradura de venir con reclamaciones!

TRABAJADOR.—Pero, ¿qué culpa tengo yo de que no haya ni un ómnibus? Que sancionen a los chóferes, que cuando al fin pasan se llevan la parada y lo dejan a uno embarcado.

FIDEL.—Los chóferes no tienen nada que ver con nuestra empresa y tú lo sabes. Deja de irte por la tangente. *(Didáctico:)* El país se encuentra en una etapa difícil, compañerito, y hay que sacrificarse. ¿Acaso me has visto a mí llegar tarde algún día?

TRABAJADOR.—Usted tiene un Lada.

FIDEL.—¡Porque es fundamental para mi función de dirigente! Porque me paso la vida viajando a las provincias y haciendo mil gestiones administrativas. Todavía estamos en el socialismo y la premisa es «dé cada cual según su capacidad, reciba cada cual según su trabajo», como dijera Carlos Marx. *(Golpea el libro con el índice.)* Cuando lleguemos al comunismo será «reciba cada cual según sus necesidades». Entonces todos tendremos Ladas.

TRABAJADOR.—Sí, pero mientras tanto…

FIDEL.—Mientras tanto, mira a ver si para el próximo trimestre te ganas una bicicleta. Pero necesitas acumular méritos laborales. Empieza por estar aquí, al pie del cañón, a las ocho de la mañana. Si tienes que venir caminando, pues te levantas un poco más temprano y te mandas a pie para acá.

TRABAJADOR.— *(Indignado.)* ¿A pie? ¿Usted está loco? Acuérdese de que yo vivo en lo último de Marianao. Se me van dos horas en llegar, como no me ponga un cohete en las nalgas.

FIDEL.—Bueno, chico, no hay atajo sin trabajo.

TRABAJADOR.—¿Y desde cuándo una cochina bicicleta es un atajo hacia ningún lugar? ¡Atajo pal carajo!

117

FIDEL.—Déjate de faltas de respeto.

TRABAJADOR.—Mire, si tengo que venir a pie mejor me bota de una vez, porque bastante flaco que está uno para tanto ejercicio por gusto.

FIDEL.— *(Sin prestarle atención, hojeando de nuevo* El Capital.*)* Este momento histórico es coyuntural y hay que estar a su altura.

TRABAJADOR.— *(Resignado.)* Como usted diga… *(Pausita.)* Oiga, ¿y de la merienda qué?

FIDEL.—De ese tema hablamos en la asamblea sindical de la semana pasada. Asamblea a la que no asististe, por cierto. La venta de los panes con croqueta en la merienda está suspendida hasta nuevo aviso. Es decir, hasta que llegue a puerto un barco vietnamita que trae carne enlatada para preparar las croquetas.

TRABAJADOR.—¿Y el barco ya salió de Viet Nam o está todavía construyéndose en los astilleros Ho Chi Minh?

FIDEL.—¡Está bueno ya, carijo! Vamos a dejar las preguntas indiscretas y el relajo, que el horno no está para galleticas. Se acabó la conversación.

*Corte.*


## Escena II: Exterior

*La salida del aeropuerto de Gánder, Canadá. Al fondo, pasajeros que pasan con maletas y taxis que llegan o se van. Una periodista de la CTV se acerca a Fidel con un micrófono en la mano.*

PERIODISTA.—Bienvenido, señor Carballo. *Welcome to Gander!* Últimamente parece que cada dos semanas tenemos a un nuevo refugiado cubano aquí. ¿Me permite hacerle una breve entrevista?

FIDEL.— *(Inflando el pecho.)* Por supuesto.

PERIODISTA.—¿Qué lo ha impulsado a pedir asilo político?

FIDEL.—Bueno, el deseo de ofrecerle una vida mejor a mi familia. Y… y de vivir en libertad. Porque yo soy un partidario ferviente de la libertad. Detesto la opresión, las dictaduras y el totalitarismo.

PERIODISTA.—¿Cómo consiguió salir de la isla?

FIDEL.—Muchacha, eso fue una odisea espacial… *(Le toca un brazo, confianzudo. La periodista se sorprende de esta excesiva familiaridad y se aparta, incómoda.)* Dificilísimo y hasta peligroso. Imagínate que por poco me meten preso antes de subir al avión.

PERIODISTA.—¿Por qué?

FIDEL.—Ah, porque me afilié a un grupo defensor de los derechos humanos y tú sabes que allá eso es candela viva.

PERIODISTA.—¿Candela viva?

FIDEL.— *(Didáctico.)* Candela significa que hay riesgos graves, mi amor. Yo sí que me jugué la vida por mis principios.

PERIODISTA.—Pero usted viajaba representando al gobierno de su país, ¿no es cierto?

FIDEL.— *(Evasivo.)* Representando, no. No confundas. Yo era… esto… yo tenía un cargo ahí, nada de importancia. Un puestecito de tercera categoría. Pero como protestaba por los problemas que había y sobre todo por el abuso contra los obreros, que no contaban ni siquiera con un transporte seguro para llegar al trabajo, me dieron este viaje. Para callarme la boca y que no siguiera en la oposición, ¿te das cuenta?

PERIODISTA.—Entonces, ¿usted se considera opositor al gobierno de Castro?

FIDEL.—Desde luego que sí, me considero súper opositor. Opositor encarnizado, vaya.

PERIODISTA.—¿Cómo se las arregló para conservar su cargo?

FIDEL.—Eso es muy largo de explicar, especialmente si tú no eres de Cuba. Es complejo.

PERIODISTA.—Hable, hable sin cortapisas. Canadá es un país libre y se puede expresar sin temor alguno.

FIDEL.— *(Buscando una salida rápida.)* Es que no quiero comprometer a otras personas que siguen todavía en la isla.

PERIODISTA.—No tiene que mencionar nombres.

FIDEL.—Haz el favor de pasar a otro asunto, chica.

PERIODISTA.— *(Insistente.)* No comprendo su reticencia, señor Carballo. Si usted pertenecía a la oposición, ¿cómo le permitían viajar con toda su familia y a China nada menos?

FIDEL.—¡Está bueno ya, carijo! Vamos a dejar las preguntas indiscretas y el relajo, que el horno no está para galleticas. Se acabó la conversación.

Voz de FIDEL en off.—Visto así, descarnadamente, parece que yo siempre he sido un hijo de puta de cinco estrellas, un oportunista total. Pero en Cuba, compréndanme, tenía que conservar mi puesto. Y en Canadá no me quedaba más remedio que empezar una nueva vida, con *otro yo*. En fin, que ya me habéis oído. Y si me condenáis, no importa. Como dijera mi tocayo: ¡la historia me absolverá!

*Corte.*

# SÉPTIMA SESIÓN

Buenos días, Encarna. ¿Qué tal? Espero que no te molestes si te trato de tú de ahora en adelante. Como ya tenemos confianza después de tantas citas… Oye, me encanta que te dejes el pelo suelto. Y que te sigas poniendo esa blusa con el escote hasta el ombligo. ¡Todavía estás dura, mi china! Tienes la mediunidad alborotada hoy…

Déjame aclararte una cosa, para que no pienses mal de mí después del desahogo de ayer. Es verdad que me bautizaron como Fidel. Yo nací en diciembre del cincuenta y nueve y a mis padres se les ocurrió endilgarme el patronímico de moda por aquellos años. Inocentes que eran, guajirotes los dos.

En mi época de dirigente el nombrecito me sacó de más de un apuro. Era como tener un halo de protección constantemente sobre mi cabeza, un pararrayos invisible. A nadie se le ocurría decir en público: «Lo que ha hecho el compañero Fidel está mal», «Fidel no cumple con su trabajo» o mucho menos «Qué hijo de puta es Fidel». Sonaba herético. Así que me ayudó muchísimo, pero eso no fue culpa mía. Yo no escogí cómo llamarme la primera vez.

Ahora, en cuanto llegué a Miami fui derechito a un abogado y me cambié de nombre. Porque ser Fidel en Miami es como ser Adolph en Jerusalén. Un insulto a la ciudad, una injuria a su gente. Entonces decidí que me llamaría Philip. Dalila, para apoyarme, nunca más volvió a mentar mi nombre de pila. La única que no dejó que se me olvidara fue Kathy, aunque ella no se llama a sí misma Katia ni por casualidad.

Volviendo a los conejos de España, después de la escenita en la oficina me refugié en el Flanigan's de Harding Avenue y estuve dándome tragos hasta que sentí que si tomaba otro mojito, la cabeza me iba a dar contra El Morro y los pies contra La Cabaña. Di un paseo por la playa para refrescarme y dejar que el nivel de alcohol en la sangre bajara a los límites de la normalidad. A eso de las nueve decidí volver a la casa (hogar, oh dulce hogar) dispuesto para la batalla campal que sabía me estaría esperando.

Apenas entré por la puerta de la cocina, me regalaron el oído estas perlitas de cultivo:

—Procuren mantenerse firmes –era la voz de Kathy–. Nada de paños calientes porque nos coge la baja otra vez. Y no podemos permitirlo. Ahora tenemos suficientes municiones para ponerlo en su lugar.

Dalila estaba, como de costumbre, hipnotizada frente al televisor. Me pregunté si sería la fiscal o la abogada defensora en el pleito que se avecinaba. Bill y Kathy, constituidos en tribunal, ocupaban el sofá. Había una silla en el medio de la sala, obviamente preparada para que el acusado la ocupase.

—Ya yo tengo bien ensayado lo que le voy a decir —contestó Bill—. Con tal de que no me fallen los nervios…

—Pero hay que empezar por el asunto de la casa —dijo Kathy—. Y eso te corresponde a ti planteárselo, mami. ¿Oíste?

—¿Eh?

—¡Vieja, por Dios, apaga ese aparato! Oye, ni porque tenemos una reunión familiar importantísima dejas tu culebrón.

—Ay, cállense, que quiero ver si Carrie se reconcilia con Big. Yo no puedo creer que vayan a echar patrás la boda con lo adelantadas que iban las cosas.

—Mami…

—Ya, ya… no tengo ganas de seguir hablando boberías. Mucho bla bla blá y al final todo va a seguir como siempre.

—*No* va a seguir como siempre –se emperró Kathy–. Tú verás. En la unión está la fuerza.

Y Bill remachó con un:

—Proletarios de todos los países, ¡uníos! –que me hizo reír, a pesar de mí mismo y de su mariconería.

Hice mi entrada, probablemente no triunfal, y me dejé caer en la silla.

—Ya pensábamos que no ibas a venir a dormir –fue el saludo de Kathy.

—¿Y esto qué es, un pleno del partido comunista? –pregunté, para seguirle la corriente a Bill.

—No, papi –contestó, no faltaba más, la abogada sin título–. Una intervención familiar.

—¿Como las de los Alcohólicos Anónimos? Pues se cogieron el culo con la puerta porque aunque me haya dado cuatro tragos de más hoy, no creo que se me pueda acusar de alcohólico. Otros *vicios*, como dice tu madre, tendré, pero no ése. En todo caso, trabajólico.

—Los alcohólicos no son los únicos que necesitan una intervención. —Kathy se volvió hacia Dalila y la pinchó otra vez—: Mami, ¿tú no ibas a…?

Mi costilla hizo el gran sacrificio de apagar la tele.

—Qué grosería la tuya esta tarde, mijito —me dijo sin mirarme.

—Disculpa, chica —contesté. Y te doy mi palabra, Encarna, de que en aquel instante me sentía apenado de veras—. Estaba nervioso, con los cobradores hostigándome, y de pronto llegas tú con el gato y te pones a hablar de cuentas del veterinario. Me pasé de rosca, pero compréndeme. Eso no va a volver a suceder.

—Bueno, terminado el incidente. Todos tenemos malos momentos. Ah, y aquella muchacha fue de lo más amable, por cierto. Me trajo hasta la casa.

—Esto… ella es muy servicial, sí.

—Me contó que tiene una gata de Angora.

—Ustedes las gatólicas…

—Oye, Tony te llamó un par de veces. Dice que no podía comunicarse con tu móvil y que necesitaba hablar contigo urgentemente.

Se me cayó el alma a los pies. ¿Qué estaría pasando? A lo mejor el dueño de la oficina pensaba botarnos también (hacía tres meses que debía el alquiler) o el propio Tony se despedía y me dejaba perdido en el llano.

—Debe ser para darme otra mala noticia.

—A lo mejor no. Sonaba bastante animado.

—Ese jíbaro suena animado aunque estén cayendo raíles de punta al lado suyo.

Mientras mi mujer y yo conversábamos Bill y Kathy se miraban con caras de tontos, como si se sintieran de más allí.

—Mami, pero lo que tú querías decir… —empezó Kathy.

—Ya, mija, ya, deja de achucharme –le echó hielo Dalila, que claramente tenía ganas de volver a su culebrón–. Lo que tu padre y yo necesitamos discutir, lo discutimos luego.

—¡Pues no! ¡Está bueno ya de proteger a este machista, de cuidar que no se le baje la autoestima, de levantarle el ánimo… está bueno! Si tú no te atreves a hablarle, lo hago yo –se me enfrentó como una cobra cuqueada–: Viejo, las cosas no pueden seguir como van. Ustedes están a punto de perder la casa y tenemos que hacer algo para evitarlo. Debemos analizar también el problema… esto, problema no, dilema… u orientación… ay, ya no sé ni lo que digo, de mi hermano. ¡No podemos seguir barriendo la basura debajo de la alfombra!

Me quedé callado un momento, antes de contestarle lo menos malo que se me ocurrió:

131

—¿Tú te has dado cuenta, hija, de la cantidad de clisés que usas al día? Pareces un panfleto ambulante.

—Ya empezaste a desviar la conversación, a andarte por las ramas.

—Está bien –le respondí con la voz engolada y el dedo en alto–. Voy a bajar de las ramas al suelo. A arrastrarme por el piso embarrado de mierda, de lodo, de orine y de cuantas porquerías hay. Sí, vamos a perder la casa porque debo diez mil dólares de hipoteca y no hay ni a quién pedírselos. ¡Vamos a perderla, igual que perdimos el Lexus! ¡Estoy quebrado, sin un centavo, en la fuácata! ¿Eso es lo que querían oír? ¡Pues ya lo saben!

—La culpa la tienes tú, por tirarte el peo más alto que el culo –me interrumpió Kathy.

—No seas ordinaria –la regañó Dalila.

—Ordinaria no, franca. A ver, papi, ¿para qué compraste una casa con piscina si a ustedes no les gusta nadar ni coger sol? Por el paripé. ¿Para qué te metiste en esa hipoteca cuando sabías que podían subirte el pago mensual si le daba la reverenda gana a la compañía? Por el alarde. ¿Por qué no pediste una tasa de interés fija cuando tú eres perro viejo en este negocio?

—¡Porque pensaba que los precios iban a seguir en alza! ¡Porque no me imaginaba que el valor de la propiedad fuera a caer en picada! Ahora es muy fácil echárselas de adivino. En cuanto al paripé y al alarde, ¿cómo nadie protestó cuando compré la casa? Ah, no, todos estaban encantados con la piscina y el patio con su césped y los cuartos bien grandes y la cocina con el mostrador de granito. Kathy, tú misma, cada vez que le celebras una fiesta a tu hija, no llevas a los muchachos a tu apartamentico, ¿verdad? Los traes aquí, a que se repantiguen bien.

—Es que… ustedes tienen más espacio, ¿por qué no lo vamos a aprovechar?

—Aprovechar. Bien dicho. Ésa es la palabra de orden. Eso es lo que he hecho yo toda mi vida, aprovechar. Y lo que haces tú con toda tu retórica. Y lo que hace Dalila, que se ha pasado veinte años sin disparar un chícharo, aprovechándose del mulo que no descansa ni los domingos.

—Oye no la cojas conmigo ahora –se defendió mi costilla–, que yo…

—No, si no te estoy reprochando nada, mi amor. A fin de cuentas ya lo admití: el primer aprovechado soy yo. Tú me llamaste camastrón esta tarde. Mejor me hubieras dicho camaleón. Porque eso es lo que he sido siempre: un camaleón. Un ser mutante. En Cuba fui el dirigente perfecto, el que se levantaba cantando *La Internacional* y se iba a la cama gritando «Comandante en jefe ¡ordene!». El que tenía a orgullo llamarse como *quién tú sabes*. Sí, me las daba de más comunista que los calzoncillos de Fidel, porque, coño, aquélla era la única manera de subir, de no estancarse. Y cuando vi una oportunidad de echar un pie, me quedé con ustedes dos –porque no las dejé atrás– en el aeropuerto de Gánder, exponiéndome a que me partieran la vida si me descubrían los chivatos en el momento de pedir asilo.

»Llegué aquí y cambiaron las cosas. El camaleón se volvió a colorear. De rojo como la bandera soviética pasé a verde como la cara de Lincoln en los billetes. Y me volví más americano que Clinton y Bush juntos. Aprendí a cantar *Oh, say, can you see* igual que lo había hecho con *La Internacional*. Pasé de trabajador vanguardia a conquistador del sueño americano... ¿Y qué hay de malo en eso?

»Es verdad, he sido oportunista, vividor, doble cara... Pero ¿por quién y para quién? Por ustedes, ¿se enteran? ¡Por ustedes, malagradecidos! Por ustedes también he estado trabajando ochenta horas a la semana. Y aquí está el resultado. Mírenme: gordo, con una úlcera en el estómago y ya canoso antes de los cincuenta. Y ahora, ahora que cometí un error, como lo han cometido miles de gentes, vienen y me tiran arriba los caballos.

—No es que tiremos arriba los caballos –dijo Kathy–, es que tú…

—Es que yo tengo la culpa de este desbarajuste, por supuesto. La tengo por no haber previsto la caída del mercado. –Aunque ni el mismo Alan Greenspan la hubiera podido pronosticar hace un año–. Yo también tengo la culpa de buscarme una querida. Yo, no tu madre, que cuando la iba a tocar por las noches me empujaba y decía: «Déjame quieta, viejo. Échate pallá, que despiertas a Flo». Yo tengo la culpa de que Bill no se atreva a decirme en mi cara lo que todos sabemos. Mira, chico, si te gusta que te den por el culo, coge bastante por ahí mismo y disfrútalo, que la vida es corta. –Sorpresa general. Dalila hasta dejó escapar un hipido–. ¿Pensabas que me iba a poner hecho un ogro o que te iba a botar de la casa? Vaya mala fama que me han creado… Sin motivo, porque cuando Kathy decidió que iba a preñarse sola, ¿alguien la criticó? No tiramos fuegos artificiales porque no había razones, pero tampoco le dijimos una sola palabra en contra. ¿Es así o no es así? —la interfecta no se atrevió a chistar—. Así que pierde cuidado, Bill. No tengo nada en contra de que seas gay. Es más, aunque me duela en mi orgullo de macho, me alegro de que hayas salido del armario. Me alegro de que no heredases los genes de camaleón que me han hecho la vida un yogur agrio a mí. ¡Vive tu mariconería feliz y aquí paz y en el cielo gloria! En cuanto a la casa, que es lo que tanto les preocupa… a lo mejor no se pierde, después de todo.

—Ya sé lo que estás pensando —se preocupó Dalila, ya llena de remordimientos—. Déjate de arrebatos y de locuras, Philip. ¡Déjate de arrebatos y de locuras! Yo puedo trabajar también, si hace falta el dinero. El otro día me dijeron en la Sociedad Protectora de Animales que necesitaban empleados para limpiar las jaulas de los gatos. No creo que paguen mucho, pero algo es algo, como dijo el calvo.

—Y yo también podría buscarme un *part-time* en McDonald's –acotó Bill–, tengo dos amiguitos que trabajan allí.

—Entonces todo el mundo está encaminado –concluí–. Mejor que mejor.

Les di la espalda. Tenía un dolor de cabeza que no veía. Y me sentía vacío, como si me hubiese vuelto del revés, tripas y todo, ante los ojos indiferentes del núcleo familiar. Sin embargo, todavía no sé a ciencia cierta si fui sincero en mi discurso o si éste no fue más que una salida rápida –el último cambio de colores del camaleón.

Antes de llegar al cuarto alcancé a oír a Kathy enredándose en otra discusión con su madre.

—Ahora lo que falta es oír un disparo de pistola, como en las telenovelas malas que a ti te gustan, vieja. ¡Pam!

—¡Cállate, niña! Ya bastante caña le diste al pobrecito.

—¡El pobrecito, cucha pa eso! Al final resulta que hay que tenerle lástima.

—Todo lo que dijo es verdad. Incluso lo del gato.

—Es su punto de vista –agregó Bill–. Y tenemos que respetárselo, ¿no?

—Bueno, contigo se ha portado mejor de lo que yo esperaba. Pero aún sigue en pie la madre del cordero. ¿Qué demonios va a pasar con la casa?

Qué va, yo no podía descansar en el medio de semejante avispero. Agarré de nuevo mi maletín y enfilé hacia la puerta de la calle. Desde luego, me cayeron encima.

—¿Adónde vas? –empezó Dalila.

—A la oficina.

—¿A esta hora? –siguió Kathy.

—Respeta la privacidad de los demás –le recordé–. ¿No quedamos en que soy, como Sor

139

Juana, el peor de todos? ¿Que me tiro los peos más altos que el culo, que arruiné a la familia, que no hay por dónde cogerme para tirarme a la basura? Pues bien, me quito del medio. A ver si entre todos ustedes, que son tan sabios, ponen este Titanic a flote.

Y me fui, con la frente muy alta. Esa noche no supe qué pasó, pero en el más acá me he enterado de que siguieron con el tira y encoge un rato más.

—Si la casa se pierde, ustedes pueden venir para mi apartamento –ofreció Kathy, con aire magnánimo.

—Pero eso es un chiringuito de un cuarto y medio –le contestó Bill–. Ni Flo cabe allí.

—Olvídate de Flo, que mi hija es alérgica.

—¿Qué tú dices? –saltó Dalila como si la hubiesen pinchado–. Sin él yo no voy a ningún lugar.

—Ay, no empieces, mami. Tanto lío por un gato viejo. Se lo regalas a cualquiera de tus amigas.

—¡Cállate, descastada!

—Bueno, cálmense –intervino Bill–. Al fin es que no nos vamos a mudar mañana ni nada de eso.

—Tengo miedo de que el viejo haga un disparate –murmuró mi mujer, tras un momento de silencio–. De que se mate o…

—No te atraques, haz el favor –la consoló Kathy, con su dulzura de costumbre–. Tantas telenovelas te han indigestado el cerebro. Bicho malo nunca muere. Cuando se le pase el berrinche verás que vuelve muy mansito. Si esto era lo que necesitábamos, sacudirle el polvo.

—¿Y si me deja? –Dalila se azoró, considerando por primera vez su futuro sin mí. Tremendo título para un culebrón: *Futuro sin mí*–. ¿Y si ahora que sacamos los trapos sucios a la luz, se larga con la tipa esa y me deja plantada? –empezó a sollozar, con su mejor caracterización de esposa abandonada y sufridora.

—¡Ay, chica, pues que se vaya a pescar truchas!

—Si esto es lo que ha salido de tanta charla y tanta intervención, me cago en ellas, Katia, para que lo sepas. ¡Me cago en tu intervencionismo y en tu manía de meterte en las vidas de los demás! ¡Me has desgraciado el matrimonio! Y encima tienes la frescura de decirme que regale a Flo. ¡Eres una insensible, chica!

Si a alguien se le ocurre tirar un fósforo, explota la casa como una bomba, y sus ocupantes también. ¡Bángana! Por algo hablan allá de la paz de los sepulcros. Porque la tranquilidad que yo tengo aquí, sin familia ni gatos, no me la quita nadie.

Bueno, vamos a dejar por hoy los temas desagradables. Yo estaré muerto, Encarna, pero todavía soy capaz de apreciar el *eterno femenino*. Y de verdad que esa blusa ceñida te queda súper bien…

## OCTAVA SESIÓN

¡Pero qué linda se ha puesto mi emperatriz de las botánicas! Si te veo así, remeneándote por la Calle Ocho, te digo tres requiebros aunque me lleven preso por acoso sexual. Pareces una bailarina de Tropicana.

Sí, mimi, voy a seguir, para terminar este asunto y empezar con el nuestro. Porque tú y yo tenemos algo muy importante de qué hablar, algo que no se relaciona en lo absoluto con mi disfuncional parentela. No, no te asustes, no es nada malo, chica. Ya conversaremos más tarde...

Aquella noche no dormí. Regresé a la oficina y estuve toda la madrugada poniendo en orden mis papeles. Encontré la póliza de seguro que garantizaba la liquidación de la hipoteca a mi viuda y, por primera vez, contemplé seriamente la idea del suicidio. Ya me había rondado antes, de ahí que comprara la pistola, pero nunca con la insistencia de mosca veraniega con que me atacó en aquella ocasión.

Reconocí que carecía de fuerzas para empezar desde cero otra vez. Yordanka es animosa y luchadora, pero cargaba el lastre de su hija, una *teenager* boquirrota y salida del plato como ella sola. Y yo no me iba a echar encima la carga de criar a más muchachos. ¡Buen par de huevos cluecos me habían salido los míos! Acaricié la culata del arma un par de veces y un par de veces la puse de nuevo en el buró, con las manos temblándome. Con lo fácil que se suelta el tirito la gente en las películas, pero en la vida real, Encarna, qué difícil es.

Me sorprendió la luz de la mañana con el cerebro dándome vueltas a quinientas revoluciones por minuto y sin haber tomado ninguna decisión. A las ocho sonó el teléfono. El de la oficina, porque mi móvil se había quedado apagado desde el día anterior. Dejé que recogiera el mensaje la máquina contestadora y oí la voz de Tony que decía, agitadísimo:

—Compadre, ¿dónde tú andas metido, qué vaina pasa? Esta gente de Kansas quiere el condominio de Fontainebleu Boulevard y...

Agarré el auricular a la velocidad de un cohete. Tony me puso al tanto. Era una oferta en firme la que hacían los de Kansas, que tenían incluso aprobado un préstamo de su banco.

—Sí, yo estaba convencido de que iban a picar –le dije, recuperando unos gramos de autoestima–. Se llevan tremenda propiedad, en un barrio de moda y pagando por ella una miseria. Regalada, prácticamente regalada...

¿Así que quieren firmar hoy? ¡Qué noticia, mi hermano!

Quedamos en que aquella misma mañana los llevaríamos a Steward Title para empezar el papeleo. Y que luego iríamos al Versailles a tomar un par de cervezas y celebrar que habíamos hecho la cruz después de tres meses en blanco.

Colgué el teléfono y sin ocuparme más de pensamientos fúnebres, empecé a sacar cuentas. Quitando la comisión de Tony me quedaban, limpios de polvo y paja, veinte mil pápiros de beneficio. Suficientes para pagar el atraso de la hipoteca, ponernos al día con los carros (naturalmente, recuperaríamos el Lexus) y hasta para dejar una tierrita guardada en el banco. Respiré por todos los poros del cuerpo cuando acabé los cálculos. Uf.

Respecto a la propuesta de Yordanka... Es muy simple decir «voy a cambiar de vida», pero del dicho al hecho hay un trecho abismal. Ya yo andaba rozando la cincuentena, con el estómago jodido. Pesaba treinta libras de más. La bombita toráxica cualquier día me daba el gran susto. De allá abajo más valía ni hablar, que si no es por San Viagra y sus milagros, no se me levantaba el animal ni aunque le tocasen el himno nacional en son de diana.

En esas circunstancias, ¿cómo irme al norte a luchar con la nieve y a mendigar un trabajito malpagado? Porque aunque me llevase los veinte mil dólares, con semejante cantidad no se llega muy lejos en Nueva York. Me lo gastaría todo en un par de meses y entonces... a pasar miserias después de viejo. Y sin casa, ni seguro médico, ni madre que me envolviese. No, hombre, no. Mejor me quedaba tranquilo con mi matrimonio de tantos años —que quizá ya no era ni matrimonio, pero sí refugio blando, regazo tibio donde reposar. Aunque el regazo estuviera lleno de pelos de gato y tuviese como fondo la musiquita de *El sexo y la ciudad*.

La aventura tenía otros peligros. ¿Qué tal si a los dos meses Yordanka se aburría de mí y me daba una patada por el fondillo? Porque no es lo mismo ver al jefe bañado, afeitado y oliendo a colonia por las mañanas, a despertarse y encontrar al otro lado de la cama a un marido viejo con ojos legañosos, la barriga colgante y el pelo enredado, con mal aliento y peste a sobaco nocturno.

Al mismo tiempo comprendía que si no tiraba los últimos cartuchazos entonces, ya no los tiraría jamás. *Es ahora o nunca*, como diría un protagonista de culebrón. Ya bastante me había sacrificado por la familia. Y Yordanka se merecía el riesgo. ¿Iba a dejar pasar esa oportunidad de compartir la vida, o al menos unos años, con aquel bombón de mujer? Si me botaba al cabo de tres meses, pues me iría pal carajo. ¿Quién me quitaba lo bailado? Ay, Encarna… El eterno dilema. El demonio del mediodía que me rondaba, tirándome de la bragueta y riéndose de mí.

Debatiéndome entre la razón y la sinrazón me puse en camino hacia las oficinas de Steward Title. Encendí el radio y estaban pasando un programa de rancheras en el que Vicente Fernández cantaba a todo pecho *El rey*. Pensé que era una lástima que ya no se escribieran canciones como aquélla. Empecé a tararearla como el más vocinglero charro de Jalisco. Y fue justo en el verso de *llorar y llorar* cuando el camión apareció.

Lo vi llevarse la luz roja de la calle Cuarenta y Cinco y me acordé de Yordanka *dirás que no me quisiste*. Lo vi cuando se me encimaba como un caballo encabritado, los espejos en ristre *pero vas a estar muy triste*. Lo vi cuando me envolvió una nube de esquirlas y cristal y *así te vas a quedar*. A quedar… a quedar…

*Con dinero o sin dinero* nos llevaron al hospital a mí y al camionero. *Yo hago siempre lo que quiero* y allí, tendido en la camilla, me di cuenta de que estaba cansado, mortalmente cansado, de lidiar con casas y querida y familia y decisiones y que mejor me moría en paz, como un rey. Así mismo me dije *y mi palabra fue ley*.

Ya no recobré la conciencia. Cuando vine a darme cuenta estaba aquí. Y si me pusiera a contarte de la vida (que sigue corriendo, por cierto) en este lado tendríamos para tres o cuatro cuadernos más. Pero no hay para qué, que a ti no te interesan tanto las cosas de ultratumba. Y como ya te dije, nosotros tenemos otro asuntico ahí que tratar, que es mucho más sustancioso.

Concluyendo: no, no me suicidé, díselo a mi mujer para que se le quite la pejiguera. Dile lo mismo a Yordanka, y también que me iba a ir con ella a Nueva York. ¡Juntos para siempre en la ciudad, unidos por el sexo! O algo por el estilo…

Bueno, Encarna, ya sé que a ti no te pagan por contar mentiras, pero ¿qué más te da en un caso así? Que estén todas contentas, mi santa. Como lo vas a estar tú dentro de unos momentos si me das la oportunidad.

\* \* \*

Encarnación ordena las hojas impresas y las divide en dos paquetes. Luego rotula cada uno con el mismo letrero: «sesenta folios, mil doscientos dólares». Los coloca a los pies del querubín y se sienta a esperar a que vengan por ellos. Entonces nota una cosquilla suavecita, casi imperceptible, mas no por eso menos disfrutable, entre las piernas.

—Mira que estos espíritus cubanos son relambíos —murmura con una sonrisa, separando los muslos unos centímetros—. Cuando yo digo que se le escaparon al propio Belcebú…

Mientras tanto el estéreo, todavía con el disco de Vicente Fernández, repite las bravatas parranderas de *El rey*:

> *Yo sé bien que estoy afuera*
> *pero el día que yo me muera*
> *sé que tendrás que llorar.*

FIN

# ÍNDICE

Este libro de Teresa Dovalpage,
V Premio Rincón de la Victoria
de Novela Corta 2009, se terminó
de imprimir en los talleres de la
imprenta Kadmos de Salamanca el
día 26 de mayo de 2011

•